NOTE DE L'ÉDITEUR

Parce que l'œuvre de Charlaine Harris est plus que jamais à l'honneur ; parce que nous avons à cœur de satisfaire les fans de Sookie, Bill et Eric, les mordus des vampires, des loups-garous ou des ménades, les amoureux de Bon Temps, du *Merlotte* et de La Nouvelle-Orléans, nous avons décidé de traduire ces nouvelles de *La communauté du Sud* au plus près de l'original, conformément à la nouvelle édition révisée des tomes précédents.

La narration a été strictement respectée, et chaque nom a été restitué fidèlement au texte original – *Fangtasia*, le fameux bar à vampires, a ainsi retrouvé son nom, comme Alcide, le chef des lycanthropes de Shreveport, Tara, la grande amie de Sookie...

Nos lecteurs auront donc le plaisir de découvrir cette aventure de Sookie Stackhouse dans un style au plus près de celui de Charlaine Harris et de la série télévisée.

Nous vous remercions d'être aussi fidèles et vous souhaitons une bonne lecture.

Du même auteur

SÉRIE SOOKIE STACKHOUSE
LA COMMUNAUTÉ DU SUD

1. Quand le danger rôde
2. Disparition à Dallas
3. Mortel corps à corps
4. Les sorcières de Shreveport
5. La morsure de la panthère
6. La reine des vampires
7. La conspiration
8. La mort et bien pire
9. Bel et bien mort
10. Une mort certaine

LES MYSTÈRES
DE HARPER CONNELLY

1. Murmures d'outre-tombe
2. Pièges d'outre-tombe *(à paraître)*
3. Frissons d'outre-tombe *(à paraître)*
4. Secrets d'outre-tombe *(à paraître)*

INTERLUDE MORTEL

Catalogage avant publication de Bibliothèque et Archives nationales
du Québec et Bibliothèque et Archives Canada

Harris, Charlaine
       Interlude mortel : nouvelles
       Traduction de : A touch of dead.
       « Série Sookie Stackhouse ».
       ISBN 978-2-89077-407-0
       I. Amalric, Hélène. II. Titre.
PS3558.A77T6814 2011   813'.54   C2011-940704-3

COUVERTURE
Photo : © Mike Kemp / Getty Images
Conception graphique : Annick Désormeaux

INTÉRIEUR
Composition : Chesteroc

Titre original : A TOUCH OF DEAD
Ace Book, New York, publié par The Berkley Publishing Group,
une filiale de Penguin Group (USA) Inc.
© Charlaine Harris Inc., 2009
Traduction en langue française : © Éditions J'ai lu, 2011
Édition canadienne : © Flammarion Québec, 2011

Tous droits réservés
ISBN 978-2-89077-407-0
Dépôt légal BAnQ : 2ᵉ trimestre 2011

Imprimé au Canada
www.flammarion.qc.ca

CHARLAINE HARRIS

Série Sookie Stackhouse
LA COMMUNAUTÉ DU SUD

INTERLUDE MORTEL

Traduit de l'anglais (États-Unis)
par Hélène Amalric

Flammario

À tous les lecteurs qui veulent profiter
de Sookie jusqu'à la dernière goutte.

INTRODUCTION

La première fois que l'on m'a demandé d'écrire une nouvelle autour de mon héroïne Sookie Stackhouse, je n'étais pas sûre d'y parvenir. La vie de Sookie et son histoire sont si complexes que j'ignorais si j'étais capable de créer une fiction courte cohérente qui lui rende justice.

Je ne suis toujours pas certaine d'avoir réussi, mais j'ai pris plaisir à essayer. Certains de mes efforts ont été plus couronnés de succès que d'autres. Glisser ces histoires dans le tableau plus large de l'existence de Sookie sans trop faire apparaître les coutures n'a pas été facile. J'ai quelquefois atteint mon but, pas toujours. J'ai tenté dans cette édition d'atténuer les défauts de la nouvelle qui a été la plus drôle à écrire mais qui, en dépit de tout, se refusait à entrer dans une chronologie (*L'anniversaire de Dracula*).

Les nouvelles, dans l'ordre dans lequel elles se déroulent dans l'existence de Sookie, sont les suivantes : *Poussière de faé, L'anniversaire de Dracula, En un mot, Défaut d'assurances*, et *Le Noël de Sookie*.

Poussière de faé met en scène les triplés faé Claude, Claudine et Claudette. À la suite de l'assassinat de Claudette, Claude et Claudine sollicitent l'aide de Sookie dans leur recherche du coupable. Dans cette histoire, Claude fait l'acquisition d'un capital précieux. L'action de *Poussière de faé* se déroule après les événements des *Sorcières de Shreveport*.

Dans *L'anniversaire de Dracula*, Eric invite Sookie au *Fangtasia* pour l'anniversaire du Prince des Ténèbres, un événement qui met à l'avance Eric dans tous ses états, puisque Dracula est son héros. Malheureusement, le « Dracula » qui se présente à lui n'est peut-être pas le bon… Eric célèbre *L'anniversaire de Dracula* avant les événements de *La morsure de la panthère*.

Après celle-ci, l'annonce de la mort de sa cousine Hadley parvient à Sookie dans *En un mot*. Elle est informée du décès de Hadley par Maître Cataliades, le semi-démon avocat doté d'un chauffeur détestable et d'un passager inattendu dans sa limousine.

Défaut d'assurances est une histoire enjouée, qui se déroule à Bon Temps après *La conspiration*. Sookie et la sorcière Amelia Broadway se mettent en chasse, pour découvrir qui sabote les affaires des agents d'assurances de la ville.

La veille de Noël, Sookie reçoit dans *Le Noël de Sookie* un visiteur inattendu. Elle est seule, et se lamente un peu sur son sort lorsqu'un loup-garou blessé lui offre un cadeau gratifiant. Je suis ravie qu'elle passe des fêtes aussi intéressantes avant les événements sinistres de *Bel et bien mort*.

Je me suis bien amusée à écrire ces histoires. Certaines sont totalement joyeuses, d'autres plus sérieuses, mais elles éclairent toutes une petite facette de la vie de Sookie que je n'ai pas rapportée dans les romans. J'espère que vous éprouverez autant de plaisir à les lire que moi à les écrire.

« Laissez les bons temps rouler », comme on dit en cajun.

TABLE DES MATIÈRES

POUSSIÈRE DE FAÉ

Je déteste quand des faé viennent au bar. Ils ne vous donnent jamais de pourboire – pas parce qu'ils sont radins, mais parce qu'ils n'y pensent pas. Prenez Claudine, par exemple, la faé qui venait de franchir la porte d'entrée. Un mètre quatre-vingts, une longue chevelure brune, superbe ; Claudine avait visiblement de l'argent et une garde-robe fournie (et elle attirait les hommes comme la pastèque attire les mouches), mais elle oubliait presque systématiquement de laisser même un dollar. En plus, à l'heure du déjeuner, vous devez veiller à ôter de la table le bol de tranches de citron. Les faé sont allergiques au citron et au lime, comme les vampires le sont à l'argent et à l'ail.

Ce soir d'été, j'étais déjà de mauvaise humeur, quand Claudine est entrée. J'étais en colère contre mon ex-petit ami, Bill Compton, alias Bill le Vampire ; mon frère Jason avait de nouveau reporté un rendez-vous pour m'aider à déplacer une armoire, et je venais de recevoir par courrier ma taxe d'habitation.

Aussi, lorsque Claudine est allée s'asseoir à une de mes tables, je me suis dirigée vers elle d'un pas raide sans déborder de sympathie.

13

— Pas de vampires dans les parages ? a-t-elle demandé sans préambule. Même Bill ?

Les vampires ont pour les faé le même goût que les chiens pour les os : ce sont des jouets super et un régal à manger.

— Pas ce soir. Bill est à La Nouvelle-Orléans. Je lui ramasse son courrier.

La bonne poire, c'est moi.

Claudine s'est détendue.

— Très chère Sookie.

— Qu'est-ce que tu veux boire ?

— Oh, une de ces horribles bières, a-t-elle dit avec une grimace.

Claudine aimait bien les bars, mais n'appréciait pas vraiment la boisson. Comme la plupart des faé, elle adorait attirer l'attention et provoquer l'admiration : mon patron, Sam, dit que c'est une des caractéristiques des faé.

Je lui ai apporté sa bière.

— Tu as une minute ? m'a-t-elle demandé.

J'ai froncé les sourcils. Claudine n'avait pas l'air aussi joyeuse que d'habitude.

— Juste une, ai-je répondu, car la table près de la porte me réclamait en braillant et en hurlant.

— J'ai un boulot pour toi.

En dépit de ce que cela impliquait, c'est-à-dire avoir affaire à Claudine, que j'aimais bien mais en qui je n'avais aucune confiance, j'étais intéressée. J'avais sacrément besoin d'argent.

— Qu'est-ce que je dois faire ?

— J'ai besoin que tu viennes écouter des humains.

— Ils sont au courant, ces humains ?

Claudine m'a lancé un regard innocent :

— Qu'est-ce que tu veux dire, ma puce ?

Je détestais ces simagrées.

— Est-ce qu'ils sont disposés à... eh bien, à ce qu'on les écoute ?

— Ce sont les invités de mon frère Claude.

J'ignorais que Claudine avait un frère. Je ne sais pas grand-chose des faé ; Claudine était la seule que j'aie jamais rencontrée. Si elle était représentative de sa race, je me demandais comment celle-ci avait pu survivre à l'Éradication. Enfin, je ne pensais pas que le nord de la Louisiane puisse se montrer très hospitalier envers les êtres de leur confession. Cette partie de l'État est en majorité rurale, très imprégnée de protestantisme évangélique. Ma petite ville de Bon Temps, à peine assez grande pour disposer de son propre Walmart, a dû attendre deux ans pour entrevoir un vampire, après que ceux-ci eurent annoncé leur existence, et leur volonté de vivre en paix au milieu de nous. Le délai était peut-être nécessaire : de cette façon, les gens d'ici avaient eu le temps de se faire à l'idée, quand Bill a fait son apparition.

Mais si mes concitoyens venaient à découvrir l'existence des loups-garous, des métamorphes, des faé, et de je ne sais quoi d'autre encore, j'avais le sentiment que cette tolérance très politiquement correcte s'évanouirait à la vitesse de l'éclair.

— D'accord, Claudine. Quand ?

La table bruyante était déchaînée.

— Sookie la Cinglée ! Sookie la Cinglée !

C'était toujours la même rengaine quand les gens avaient trop bu. J'y étais habituée, mais c'était toujours blessant.

— Tu sors à quelle heure ce soir ?

On s'est entendues sur le fait que Claudine viendrait me prendre chez moi un quart d'heure après la fin de mon service. Elle est partie sans finir sa bière. Ni laisser de pourboire.

Mon patron, Sam Merlotte, a fait un signe de tête en direction de la porte par laquelle elle venait de sortir. Sam est lui-même un métamorphe.

— Qu'est-ce qu'elle voulait, la faé?

— Elle a besoin de moi pour un boulot.

— Où ça?

— Là où elle habite, je suppose. Elle a un frère, tu étais au courant?

— Tu veux que je vienne avec toi?

Sam est un ami, le genre sur lequel on fantasme quelquefois.

Des fantasmes classés X.

— Merci, mais je crois que je peux gérer Claudine.

— Mais tu n'as pas rencontré le frère.

— Ça ira.

J'ai l'habitude de veiller, pas seulement parce que je suis serveuse, mais aussi parce que je suis sortie avec Bill pendant un bon moment. La nuit était froide, et j'avais eu le temps d'ôter mon uniforme du *Merlotte* pour enfiler un jean noir et un twin-set vert cendré (un JC Penney en solde) lorsque Claudine est passée me prendre à ma vieille maison dans les bois. J'avais dénoué ma queue de cheval.

— Tu devrais porter du bleu plutôt que du vert, pour aller avec tes yeux, a remarqué Claudine.

— Merci pour le conseil.

— Je t'en prie.

Claudine avait l'air ravie de partager avec moi son sens du style. Mais son sourire, d'habitude tellement rayonnant, semblait teinté de tristesse.

— Que veux-tu que j'apprenne de ces gens?

— Nous en parlerons une fois arrivées, a-t-elle décrété.

Puis elle ne m'a plus rien dit de tout le reste du trajet, tandis que nous roulions vers l'est. D'ordinaire,

Claudine était bavarde. Je commençais à me dire que j'avais manqué de jugeote en acceptant ce travail.

Claudine et son frère habitaient une grande maison de style ranch, dans la banlieue de Monroe, une ville qui n'avait pas seulement un Walmart, mais carrément tout un centre commercial. Elle a frappé à la porte d'entrée suivant un code convenu, et au bout d'une minute le battant s'est ouvert. J'ai écarquillé les yeux. Claudine ne m'avait pas prévenue qu'elle avait un jumeau.

S'il avait revêtu les vêtements de sa sœur, il aurait pu se faire passer pour elle. C'en était inquiétant. Il avait les cheveux coupés plus court, mais pas de beaucoup. Repoussés sur sa nuque, ils couvraient néanmoins ses oreilles. Il avait les épaules plus larges qu'elle, mais n'affichait aucune ombre de barbe, même à cette heure avancée de la nuit. Les faé mâles n'ont peut-être pas de poils ? Claude ressemblait à un mannequin pour sous-vêtements Calvin Klein ; d'ailleurs, si le designer avait été présent, il aurait sûrement signé un contrat illico aux jumeaux, en bavant d'admiration.

Claude a reculé pour nous laisser entrer.

— C'est elle ? a-t-il demandé à Claudine.

Elle a hoché la tête.

— Sookie, voici mon frère, Claude.

— Enchantée, ai-je dit en tendant la main.

Un peu surpris, il m'a rendu ma poignée de main, et a regardé sa sœur :

— Elle est confiante.

— Les humains, tu sais, a dit Claudine avec un haussement d'épaules.

Claude m'a fait traverser un salon très conventionnel, puis un couloir lambrissé menant à la salle de séjour. Un homme y était assis sur une chaise. Il n'avait pas vraiment le choix : il y était ligoté à l'aide d'une corde de nylon, semblait-il. Petit, musclé, blond, les yeux bruns, il semblait à peu près du même âge que moi, vingt-six ans.

— Hé, ai-je fait avec un couinement qui ne m'a pas plu, pourquoi cet homme est-il attaché ?

— Mais parce que sinon, il s'enfuirait, m'a répondu Claude, surpris.

L'espace d'une seconde, j'ai plongé la tête dans mes mains.

— Écoutez, tous les deux, je veux bien examiner ce type s'il a fait quelque chose de mal ou si vous voulez l'éliminer en tant que suspect dans une affaire qui vous concerne. Mais si tout ce que vous voulez savoir c'est s'il vous aime vraiment, ou un truc débile de ce genre… Où vous voulez en venir ?

— Nous pensons qu'il a tué notre triplée, Claudette.

J'ai failli dire : « Il y en avait trois comme vous ? », avant de réaliser que ce n'était pas le plus important.

— Vous pensez qu'il a tué votre sœur ?

Claudine et Claude ont acquiescé à l'unisson.

— Ce soir, a précisé Claude.

J'ai marmonné « D'accord », et je me suis penchée sur le blond.

— Je vais enlever le bâillon.

Ils n'ont pas eu l'air trop ravis, mais j'ai fait glisser le mouchoir dans son cou. Le jeune homme a hurlé :

— Ce n'est pas moi !

— Bien. Vous savez qui je suis ?

— Non. Vous n'êtes pas un truc comme eux, hein ?

Je ne sais pas ce qu'il imaginait que pouvaient être Claude et Claudine, quel qualificatif d'un autre monde ils avaient pu lui balancer. J'ai soulevé mes cheveux pour lui montrer que mes oreilles étaient arrondies, et non en pointe, mais cela n'a pas eu l'air de le rassurer.

— Un vampire ? a-t-il demandé.

18

J'ai dévoilé mes dents. Les canines des vampires ne s'allongent que lorsque le sang, le sexe ou la bataille les excite, mais même rétractées elles restent remarquablement pointues. Les miennes sont parfaitement normales.

— Je suis une humaine tout ce qu'il y a de plus banal. Enfin, pas tout à fait. Je peux lire dans vos pensées.

Il a eu l'air terrifié.

— De quoi vous avez peur ? Vous n'avez rien à craindre, si vous n'avez tué personne, ai-je susurré d'une voix chaude, aussi fondante que du beurre sur un épi de maïs.

— Qu'est-ce qu'ils vont me faire ? Et si vous vous trompez, et que vous leur dites que c'est moi ? Qu'est-ce qu'ils vont faire ?

Bonne question. J'ai levé les yeux sur les jumeaux.

— On le tuera et on le mangera, a énoncé Claudine avec un sourire ravissant.

Elle m'a lancé un clin d'œil quand le blond les a dévisagés l'un après l'autre, les yeux écarquillés de terreur.

Mais pour ce que j'en savais, Claudine pouvait très bien parler sérieusement. Je ne me souvenais pas de l'avoir jamais vue manger. Le terrain devenait dangereux. Dans la mesure de mes moyens, j'essaie de soutenir les membres de ma propre espèce. Ou en tout cas, de les faire sortir vivants de situations délicates.

J'aurais dû accepter l'offre de Sam.

— Cet homme est le seul suspect ? ai-je demandé aux jumeaux.

(Devais-je les baptiser « jumeaux » ? Pour être plus précise, je pouvais les considérer comme les deux tiers de triplés... Non. Trop compliqué.)

— Non, il y a un autre homme dans la cuisine, a dit Claude.

— Et une femme dans l'office.

Dans d'autres circonstances, j'aurais eu un sourire.

— Pourquoi êtes-vous certains que Claudette est morte ?

— Elle est venue nous voir sous la forme d'un esprit, et elle nous l'a annoncé, a fait Claude d'un air surpris. C'est un rituel de mort, chez nous.

Je me suis accroupie, en essayant de trouver des questions intelligentes à poser.

— Quand cela se produit, l'esprit vous communique-t-il les circonstances de sa mort ?

— Non, a fait Claudine en secouant la tête, ce qui a fait tournoyer sa longue chevelure brune d'une épaule à l'autre. Il s'agit plutôt d'un dernier adieu.

— Vous avez trouvé le corps ?

Ils ont pris une mine dégoûtée, et Claude m'a expliqué, d'un air hautain :

— Nous disparaissons.

Autant pour l'examen du cadavre.

— Vous pouvez me dire où se trouvait Claudette quand elle a... euh... disparu ? Plus j'en sais, plus je peux poser de questions judicieuses.

Lire dans les pensées n'est pas si facile que cela en a l'air. La clé, pour obtenir la bonne pensée, consiste à poser les questions adéquates. La bouche peut dire ce qu'elle veut, la tête, elle, ne ment pas. Mais si l'on ne pose pas la bonne question, la bonne pensée ne jaillira pas.

— Claudette et Claude sont danseurs exotiques au *Hooligans*, a expliqué Claudine avec fierté, comme si elle venait de m'annoncer qu'ils appartenaient à l'équipe olympique.

Je n'avais jamais rencontré de strip-teaseur auparavant, homme ou femme. La perspective de voir Claude pratiquer un strip-tease a éveillé au plus haut point mon intérêt, mais je me suis forcée à me concentrer sur la défunte Claudette.

— Donc, Claudette travaillait hier soir ?

— Elle devait récolter l'argent à l'entrée. C'était la *ladies' night* au *Hooligans*.

— Ah, d'accord. Donc, vous... euh, vous vous produisiez ? ai-je dit à Claude.

— Oui. Nous enchaînons deux shows pour la *ladies' night*. Je faisais le Pirate.

J'ai essayé de réprimer l'image qui venait de naître dans mon esprit.

— Et cet homme-là ? ai-je demandé en inclinant la tête en direction du blond, qui se montrait très sage en s'abstenant de gémir ou de supplier.

— Moi aussi, je suis strip-teaseur. Je faisais le Flic.

«OK. Sookie, enferme ton imagination dans une boîte et assieds-toi dessus.»

— Vous vous appelez ?

— Mon nom de scène, c'est Barry le Barbier. Mon vrai nom, Ben Simpson.

— Barry le Barbier ? ai-je répété, perplexe.

— J'aime raser les gens.

J'ai eu un blanc, avant de sentir une rougeur m'envahir lorsque j'ai compris qu'il ne parlait pas de raser des joues pleines de barbe. J'ai demandé aux jumeaux :

— Et qui sont les deux autres personnes ?

— La femme dans l'office s'appelle Rita Child. C'est la propriétaire du *Hooligans*, a répondu Claudine. Et l'homme dans la cuisine, Jeff Puckett, est le videur.

— De tous les employés du *Hooligans*, pourquoi vous avez choisi ces trois-là ?

21

— Parce qu'ils se sont disputés avec Claudette. C'était une femme très énergique, a expliqué Claude avec sérieux.

— Énergique, mon cul! a jeté Barry le Barbier, prouvant par là que le tact ne constitue pas une condition préalable à un boulot de strip-tease. Cette femme était une emmerdeuse en talons aiguilles!

— Sa personnalité ne constitue pas vraiment un élément crucial dans la détermination du coupable, ai-je souligné, ce qui lui a fermé le clapet. Elle ne sert qu'à indiquer le pourquoi du crime. Continuez, je vous en prie, ai-je demandé à Claude. Où vous trouviez-vous tous les trois? Et où étaient les gens que vous retenez ici?

— Claudine était ici, à la maison, en train de nous préparer le dîner. Elle travaille chez Dillard's, le grand magasin, au service consommateur.

Elle devait être parfaite; son implacable gaieté était capable d'apaiser n'importe qui. Claude a continué:

— Claudette, comme je l'ai dit, devait encaisser les entrées. Barry et moi participions aux deux shows. Rita range toujours la recette du premier show dans le coffre, pour que Claudette ne reste pas là avec trop de liquide. Nous avons été dévalisés plusieurs fois. Jeff a passé presque tout son temps assis derrière Claudette, dans une petite cabine juste à l'intérieur de l'entrée principale.

— Et quand Claudette a-t-elle disparu?

— Peu après le début du deuxième show. Rita dit qu'elle a pris à Claudette la recette du premier show pour la ramener à son coffre, et que Claudette était toujours assise là quand elle est partie. Mais Rita déteste Claudette, parce que celle-ci allait quitter le *Hooligans* pour *Foxes*, et que je partais avec elle.

— *Foxes* est un autre club?

Claude a opiné de la tête.

— Et pourquoi partiez-vous?

— Un meilleur salaire, des loges plus grandes.

— D'accord, nous aurions donc là la motivation de Rita. Et Jeff?

— Jeff et moi, nous avions une relation, a dit Claude. (Mon fantasme de pirate est tombé à l'eau.) Claudette voulait que je rompe avec lui, elle disait que je méritais mieux.

— Et vous avez suivi ses conseils sur votre vie amoureuse?

— C'était l'aînée, de plusieurs minutes, a-t-il répondu simplement. Mais j'aime… j'aime beaucoup Jeff.

— Et vous, Barry?

— Elle a fichu mon numéro en l'air, a répondu Barry d'un ton maussade.

— En faisant quoi?

— Comme je terminais, elle a crié : « Dommage que tu n'aies pas une plus grosse matraque! »

Claudette semblait déterminée à mourir, de toute évidence.

— D'accord, ai-je déclaré en mettant au point mon plan d'action.

Je me suis agenouillée devant Barry, et j'ai posé la main sur son bras. Il s'est contracté.

— Quel âge avez-vous?

— Vingt-cinq ans, m'a-t-il répondu, mais son esprit m'a donné une autre réponse.

— C'est faux, n'est-ce pas? lui ai-je demandé d'une voix douce.

Il a pâli sous son magnifique bronzage, presque aussi superbe que le mien.

— Oui, a-t-il reconnu d'une voix étranglée. J'ai trente ans.

— Je ne m'en serais jamais douté! a fait Claude, à qui Claudine a intimé de se taire.

— Et pourquoi n'aimiez-vous pas Claudette?

— Elle m'a insulté en public, je vous l'ai dit.

Mais l'image qui s'était formée dans son esprit était tout à fait différente.

— Et en privé? Elle vous a dit quelque chose en privé?

Après tout, la télépathie, ça n'a rien à voir avec regarder la télévision. Dans leur propre cerveau, les gens ne relient pas les événements de la façon dont ils le feraient s'ils racontaient l'histoire à quelqu'un d'autre.

Barry a eu l'air gêné, et encore plus en colère.

— Oui, en privé. Nous couchions ensemble depuis un moment, et un beau jour, ça ne l'a plus intéressée.

— Elle vous a dit pourquoi?

— Elle m'a dit que je n'étais pas... à la hauteur.

Elle avait utilisé une autre expression. Je me suis sentie gênée pour lui quand j'ai entendu dans sa tête les paroles qu'elle avait prononcées.

— Qu'avez-vous fait entre les deux shows, Barry?

— Nous avions une heure. Je pouvais caser deux rasages.

— Vous êtes payé pour ça?

— Et comment! a-t-il fait avec un sourire qui ne signifiait aucunement que c'était drôle. Vous croyez que j'irais raser l'entrecuisse d'un inconnu sans me faire payer? Mais je concocte tout un rituel, je prétends que ça m'excite. Je me fais cent dollars par tête.

— Quand avez-vous vu Claudette?

— Quand je suis sorti pour mon premier rasage, juste à la fin du premier show. La fille et son petit ami se tenaient près de la cabine, là où je leur avais donné rendez-vous.

— Vous avez parlé à Claudette?

— Non, je me suis contenté de la regarder, a-t-il remarqué d'un ton triste. J'ai vu Rita, qui se dirigeait vers la cabine avec la pochette pour la recette, et Jeff, assis comme d'habitude sur le tabouret au fond.

— Et vous êtes retourné à votre rasage ?

Il a hoché la tête.

— Combien de temps cela vous prend-il ?

— Normalement, entre trente et quarante minutes. En programmer deux, c'était un peu risqué, mais ça a marché. Je fais ça dans la loge, et les autres types se débrouillent pour se tenir à l'écart.

Il se détendait, le flot de ses pensées se calmait, se déroulait plus facilement. La première personne ce soir-là avait été une femme anorexique au point qu'il s'était demandé si elle n'allait pas claquer pendant son numéro de rasage. Elle se trouvait belle, et avait de toute évidence apprécié de lui montrer son corps. Son petit ami avait pris son pied en observant la scène.

J'entendais le bourdonnement de la voix de Claudine en arrière-plan, mais j'ai gardé les yeux fermés et mes mains posées sur Barry, pour distinguer le second « client », un type, et j'ai vu son visage. Oh, mince. Il s'agissait de quelqu'un que je connaissais, un vampire du nom de Maxwell Lee.

J'ai dit à voix haute, sans ouvrir les yeux :

— Il y avait un vampire au bar. Barry, quand vous avez fini de le raser, qu'a-t-il fait ?

— Il est parti. Je l'ai vu quitter les lieux par la porte de derrière. Je m'assure que mes clients ne traînent pas dans les coulisses. C'est à cette seule condition que Rita me laisse pratiquer les rasages au club.

Bien entendu, Barry ignorait les problèmes que les faé ont avec les vampires. En matière de faé, certains vampires font preuve de moins de maîtrise que d'autres. Les faé sont forts, plus forts que les humains, mais les vampires, eux, sont encore plus forts que n'importe quoi d'autre sur cette terre.

— Et vous n'êtes pas retourné à la cabine, pour parler avec Claudette ?

— Je ne l'ai pas revue.

— Il dit la vérité, ai-je assuré à Claudine et Claude. Pour autant qu'il le sache.

J'aurais pu poser d'autres questions mais, à la première « écoute », Barry ne savait rien de la disparition de Claudette.

Claude m'a fait entrer dans l'office, où attendait Rita Child. La pièce de plain-pied était très bien rangée, mais guère conçue pour deux personnes, dont une scotchée sur un fauteuil de bureau à roulettes avec du ruban adhésif. En plus, Rita Child était une femme robuste, et ressemblait exactement à ce à quoi je m'attendais, de la part d'une propriétaire de club de strip-tease – peinturlurée, teinte en brune, et sanglée dans une robe provocante avec des sous-vêtements high-tech qui la moulaient de façon à lui sculpter une silhouette aguichante.

Elle était également folle de rage. Elle m'a balancé un coup de talon aiguille qui m'aurait fait sauter l'œil si je n'avais pas eu la présence d'esprit de bondir en arrière alors que je m'agenouillais devant elle. Je me suis affalée sur mon fondement avec un manque total d'élégance.

— Rita, ça suffit, a dit Claude très calmement. Ici, vous n'êtes pas la patronne. Nous sommes chez nous.

Il m'a aidée à me relever, et m'a épousseté le derrière de façon tout à fait impersonnelle.

— Nous voulons juste savoir ce qui est arrivé à notre sœur, a ajouté Claudine.

Derrière son bâillon, Rita a produit des sons qui n'avaient rien de conciliant. J'en ai retiré le sentiment qu'elle se fichait éperdument des raisons qui avaient poussé les jumeaux à la kidnapper et à l'immobiliser dans leur office. Plutôt que d'utiliser un chiffon, ils lui avaient scotché la bouche, et après l'incident du coup de pied, j'ai pris un certain plaisir à arracher l'adhésif.

Rita m'a gratifiée de quelques qualificatifs en rapport avec mes ancêtres et ma moralité.

— C'est l'hôpital qui se fout de la charité, ai-je glissé quand elle s'est interrompue pour reprendre sa respiration. Maintenant, vous m'écoutez! Vous ne me sortez pas ce genre d'insanités, vous la fermez, et vous répondez à mes questions. Vous ne semblez pas vous faire une idée très claire de votre situation.

Sur ces mots, la propriétaire du club s'est un peu calmée. Elle continuait à me foudroyer du regard de ses petits yeux bruns et à essayer de se libérer de ses liens, mais paraissait avoir une meilleure compréhension des choses.

— Je vais vous toucher, l'ai-je prévenue.

J'avais peur qu'elle ne me morde si j'effleurais son épaule nue, aussi ai-je posé la main sur son avant-bras, juste au-dessus de l'endroit où ses poignets étaient attachés aux bras du fauteuil à roulettes.

Sa tête était un dédale de fureur. Elle était tellement enragée qu'elle manquait totalement de lucidité. Elle consacrait toute son énergie mentale à injurier les jumeaux, et maintenant, moi. Elle me soupçonnait d'être une sorte de tueuse surnaturelle, et je me suis dit qu'il n'y aurait pas de mal à ce qu'elle ait peur de moi pendant un moment.

— Quand avez-vous vu Claudette ce soir?

— Quand je suis allée chercher la recette du premier show, a-t-elle grommelé, et effectivement, j'ai vu la main de Rita se tendre, et une autre longue main blanche placer dedans une pochette en vinyle zippée. Je travaillais dans mon bureau pendant le premier show. Mais je récupère l'argent entre les deux, pour ne pas perdre trop si nous nous faisons braquer.

— Elle vous a donné la pochette, et vous êtes repartie ?

— Oui. Je suis allée mettre l'argent au coffre jusqu'à la fin du second show. Et je ne l'ai pas revue.

Il me semblait bien que c'était la vérité. Je ne distinguais aucune autre image de Claudette dans la tête de Rita. Mais je voyais que sa mort lui apportait beaucoup de satisfaction, et qu'elle était farouchement déterminée à garder Claude dans son club.

— Maintenant que Claudette n'est plus là, vous allez quand même partir au *Foxes* ? ai-je demandé à celui-ci, pour provoquer une réponse peut-être révélatrice de la part de Rita.

Claude m'a contemplée, surpris et dégoûté.

— Je n'ai pas eu le temps de réfléchir au lendemain, a-t-il répliqué d'un ton brusque. Je viens de perdre ma sœur.

J'ai surpris un sursaut de joie dans l'esprit de Rita. Elle en pinçait sévèrement pour Claude. Et d'un point de vue plus terre à terre, il représentait un sacré atout pour *Hooligans*, puisque, même les soirs de congé sans shows, il pouvait se débrouiller, grâce à la magie, pour que le public dépense gros. Claudette avait rechigné à utiliser ses pouvoirs au profit de Rita, mais Claude n'y réfléchissait pas à deux fois. Se servir de ses dons innés de faé pour s'attirer l'admiration des gens était pour Claude un truc d'ego qui n'avait que peu de rapport avec l'aspect financier de la chose.

En l'espace d'un éclair, j'ai tiré tout cela de Rita. Je me suis relevée :

— D'accord. J'en ai fini avec elle.

28

Elle était ravie.

Nous avons quitté l'office pour la cuisine, où patientait le dernier candidat au titre de meurtrier. Il avait été poussé sous la table, et un verre avec une paille était posé devant lui, pour qu'il puisse se pencher pour boire. Son statut d'ancien amant avait servi à Jeff. Il n'était même pas bâillonné.

J'ai observé alternativement Claude et Jeff, pour essayer de comprendre. Jeff portait une moustache brun clair qui avait besoin d'être taillée, une barbe de deux jours, et il avait des petits yeux noisette. Pour autant que je puisse en juger, il paraissait en meilleure forme physique que certains des videurs que j'avais connus, et il était encore plus grand que Claude. Mais il ne m'a pas fait grande impression, et pour la millionième fois, sans doute, je me suis fait la réflexion que l'amour était une chose étrange.

Claude s'est visiblement préparé mentalement, lorsqu'il s'est retrouvé face à son ex-amant.

Nous avions été hors de portée lors de l'interrogatoire de Rita, aussi ai-je expliqué à Jeff:

— Je suis là pour découvrir ce que vous savez de la mort de Claudette. Je suis télépathe, et je vais vous toucher pendant que je vous pose des questions.

Il a acquiescé de la tête. Très tendu, il fixait Claude du regard. Comme il était sous la table, je me suis mise derrière lui, et j'ai posé les mains sur ses larges épaules. J'ai tiré son tee-shirt sur le côté, juste assez pour appuyer mon pouce sur sa nuque.

— Jeff, racontez-moi ce que vous avez vu ce soir.

— Claudette est venue encaisser les entrées pour le premier show.

Sa voix était plus aiguë que je ne m'y attendais, et il n'était pas du coin. Il venait sans doute de Floride, me suis-je dit. Il a continué:

29

— Je ne la supportais pas, parce qu'elle se mêlait de ma vie privée, et je ne tenais pas à me retrouver avec elle. Mais Rita m'a demandé de le faire, alors, je l'ai fait. Je suis resté assis sur le tabouret, je l'ai regardée encaisser, et ranger l'argent dans la pochette. Elle en gardait un peu dans un tiroir pour avoir de la monnaie.

— Aucun client ne lui a posé de problèmes ?

— Non. C'était la *ladies' night*, et les femmes ne posent pas de problèmes à l'entrée. Il y en a eu au deuxième show. J'ai dû aller récupérer sur scène une fille qui manifestait un peu trop d'enthousiasme pour notre strip-teaseur Ouvrier du bâtiment. Mais la plupart du temps, je suis resté assis sur le tabouret à regarder.

— À quel moment Claudette s'est-elle évanouie ?

— Quand je suis revenu après avoir raccompagné cette fille à sa table, Claudette n'était plus là. Je l'ai cherchée, puis je suis allé demander à Rita si Claudette l'avait prévenue qu'elle prenait une pause. Je suis même allé voir dans les toilettes. Ce n'est qu'en rentrant dans la cabine que j'ai vu le truc scintillant.

— Quel truc scintillant ?

— Ce qui reste lorsque nous disparaissons, a murmuré Claude. De la poussière de faé.

L'avaient-ils balayée pour la garder ? La question serait probablement de mauvais goût.

— En un rien de temps, le deuxième show était terminé, le club fermait, j'ai cherché dans les coulisses, partout, des traces de Claudette, puis je me suis retrouvé ici avec Claude et Claudine.

Il ne semblait pas trop en colère.

— Savez-vous quelque chose de la mort de Claudette ?

— Non, et je le regrette. Je sais que c'est dur pour Claude, a-t-il dit, alors que les deux hommes avaient les yeux rivés l'un sur l'autre. Elle nous a séparés, mais maintenant, elle n'est plus là.

— Je dois savoir, a martelé Claude, les dents serrées.

Pour la première fois, je me suis demandé ce que feraient les jumeaux si je ne découvrais pas le coupable. Cette pensée effrayante a aiguillonné mon activité cérébrale.

— Claudine! ai-je appelé.

Elle est entrée, une pomme à la main. Elle avait faim, et paraissait fatiguée, ce qui ne me surprenait guère. Elle avait sans doute travaillé toute la journée, et voilà qu'elle restait debout toute la nuit, et à pleurer sa sœur, par-dessus le marché.

— Tu peux pousser Rita jusqu'ici? lui ai-je demandé. Et Claude, pouvez-vous aller chercher Barry?

Une fois tout le monde rassemblé dans la cuisine, j'ai déclaré :

— Tout ce que j'ai vu et entendu semble indiquer que Claudette s'est évanouie au cours du deuxième show.

Après une seconde de réflexion, tout le monde a acquiescé. Barry et Rita avaient été de nouveau bâillonnés, ce qui me paraissait une excellente idée.

— Pendant le premier show, ai-je poursuivi en m'exprimant lentement pour ne pas me tromper, Claudette a encaissé les entrées. Claude se trouvait sur scène, Barry aussi, et même lorsqu'il n'y était pas, il ne s'est pas rendu à la cabine. Rita était dans son bureau.

Hochements de tête en chœur.

— Dans l'intervalle entre les shows, le club s'est vidé.

— Oui, a confirmé Jeff. Barry est venu chercher ses clients, et j'ai vérifié que tous les autres étaient partis.

— Vous avez donc quitté la cabine un petit moment ?

— Ah oui, c'est vrai, je suppose. Je fais ça tellement souvent, je n'y ai même pas pensé.

— Et pendant ce même intervalle, Rita est venue récupérer la pochette de la recette des mains de Claudette.

Hochement de tête énergique de l'intéressée.

— Donc, à la fin de l'intervalle, les clients de Barry sont partis. (Celui-ci a fait oui de la tête). Et vous, Claude ?

— Je suis allé me chercher à manger entre les deux shows. Je ne peux pas avaler grand-chose avant de danser, mais il fallait que je mange un morceau. Je suis revenu, Barry était tout seul et se préparait pour le deuxième show. J'ai fait de même.

— Et j'ai regagné le tabouret, a dit Jeff. Claudette était de retour au guichet d'encaissement. Elle était prête, avec le tiroir à monnaie, le tampon et la pochette. Elle ne m'adressait toujours pas la parole.

— Vous êtes bien sûr qu'il s'agissait de Claudette ? ai-je demandé à l'improviste.

— Ce n'était pas Claudine, si c'est ce que vous insinuez. Claudine est aussi douce que Claudette était acerbe, et elles ne s'asseyent pas de la même façon.

L'air ravi, Claudine a jeté son trognon de pomme dans la poubelle. Elle m'a lancé un sourire, me pardonnant déjà d'avoir posé des questions à son propos.

La pomme.

Claude, impatient, a ouvert la bouche pour parler, mais je l'ai interrompu d'un signe de la main.

— Je vais demander à Claudine de vous retirer vos bâillons, ai-je prévenu Rita et Barry. Mais à moins que je ne vous pose une question, je ne veux pas entendre un mot de votre part, d'accord?

Ils ont tous les deux hoché la tête.

Claudine leur a ôté les bâillons, tandis que Claude me foudroyait du regard.

Les idées s'entrechoquaient dans mon cerveau, comme sous un bombardement.

— Qu'est-ce que Rita a fait de la pochette?

— Après le premier show? a demandé Jeff d'un air perplexe. Eh bien, je vous l'ai dit. Elle l'a emportée.

Un signal d'alarme s'était déclenché dans ma tête. Je savais maintenant que j'étais sur la bonne voie.

— Vous avez dit que Claudette était prête, en attendant de commencer l'encaissement du second show.

— Oui, et alors? Elle avait le tampon encreur, le tiroir à monnaie, et la pochette, a-t-il répété.

— D'accord. Pour le deuxième show, il lui fallait une deuxième pochette, car Rita avait emporté la première. Donc, quand Rita est venue chercher la recette du premier show, elle avait dans la main la deuxième pochette, n'est-ce pas?

— Euh, je suppose, a dit Jeff en essayant de rassembler ses souvenirs.

— Et vous, Rita, que dites-vous? Vous avez apporté la deuxième pochette?

— Non. Il y en avait deux dans la cabine au début de la soirée. Je me suis contentée de prendre celle qu'elle avait remplie, et elle en avait une vide pour le deuxième show.

— Barry, avez-vous vu Rita se rendre à la cabine?

Le strip-teaseur blond s'est mis à réfléchir frénétiquement. Je sentais les idées se bousculer dans son esprit.

— Elle avait quelque chose dans la main, a-t-il fini par déclarer. J'en suis sûr.

33

— Non ! a crié Rita. Elle était déjà là !

— Mais qu'est-ce qu'elle a de si important, cette pochette ? a demandé Jeff. C'est juste un truc en vinyle avec un zip, comme vous donnent les banques. Comment aurait-on pu faire du mal à Claudette avec ça ?

— Et si l'intérieur avait été frotté avec du jus de citron ?

Les deux faé ont tressailli, et l'horreur s'est peinte sur leurs visages.

— Cela aurait-il pu tuer Claudette ? leur ai-je demandé.

— Oh oui ! a répondu Claude. Elle y était particulièrement sensible. Même l'odeur du citron la faisait vomir. Les jours de lessive lui étaient effroyables, jusqu'au moment où nous avons découvert que les lingettes d'assouplissant étaient parfumées au citron. Il y a tellement de choses infectées par cette odeur immonde qu'elle a dû aller au magasin les renouveler.

Rita s'est mise à pousser un hurlement haut perché semblable à une alarme de voiture, qui paraissait interminable.

— Je jure que je n'ai rien fait ! Ce n'est pas moi ! Ce n'est pas moi !

Mais son esprit transmettait : « Coincée, coincée, coincée, coincée. »

— Si, c'est vous.

Le frère et la sœur survivants s'étaient plantés devant le fauteuil à roulettes.

— Cédez-nous le club par contrat, a dit Claude.

— Quoi ?

— Vous nous cédez le club. Nous vous paierons même un dollar.

— Et pourquoi est-ce que je ferais ça ? Vous n'avez pas de cadavre ! Vous ne pouvez pas aller voir les flics ! Vous allez leur dire : « Je suis un faé, je suis allergique au citron » ? Qui va aller croire ça ? a-t-elle ricané.

— Des faé ? a soufflé Barry.

Jeff n'a rien dit. Il ne savait pas que les triplés étaient allergiques au citron. Il ne savait pas que son amant était un faé. Quelquefois, je me fais du souci pour les humains.

J'ai suggéré :

— Barry devrait partir.

Claude a paru se réveiller. Il regardait Rita comme un chat guette un canari. Il a libéré le strip-teaseur, et lui a dit poliment :

— Au revoir, Barry. À demain soir au club. Ce sera notre tour de ramasser l'argent.

— Euh… oui, a fait Barry en se relevant.

Claudine n'avait cessé de remuer les lèvres, et le visage du strip-teaseur s'est détendu, dénué d'expression.

— À bientôt, c'était une chouette soirée, a-t-il lancé cordialement.

— Enchantée de vous avoir rencontré, Barry.

— Venez assister au show, un de ces jours, m'a-t-il dit avec un geste de la main avant de quitter la maison, guidé par Claudine jusqu'à la porte d'entrée.

Elle est revenue en un éclair.

Claude avait délivré Jeff. Il l'a embrassé, puis lui a dit : « Je t'appelle », avant de le pousser gentiment vers la porte de derrière. Claudine lui a jeté le même sort, et le visage de Jeff a lui aussi perdu son expression tendue pour se détendre complètement.

— Salut ! a lancé le videur en refermant la porte derrière lui.

— Moi aussi, vous allez me faire « abracadabra » ? ai-je demandé d'une voix flûtée.

— Voici ton argent, m'a dit Claudine en me prenant la main. Merci, Sookie. Je crois qu'elle peut conserver le souvenir de tout ça, hein, Claude ? Elle s'est tellement bien conduite !

Je me suis sentie comme un chiot qu'on félicitait de s'être souvenu de sa première leçon de propreté.

Claude m'a considérée une minute, puis a acquiescé. Il a reporté son attention sur Rita, qui avait pris le temps de maîtriser sa panique.

De nulle part, il a fait apparaître un contrat.

— Signez, a-t-il intimé à Rita, et je lui ai tendu un stylo qui se trouvait sur le comptoir sous le téléphone.

— Vous prenez le club en échange de la vie de votre sœur ? a-t-elle dit, exprimant son incrédulité à un moment qui me paraissait vraiment mal choisi.

— Bien sûr.

Elle a lancé aux deux faé un regard de mépris. Elle s'est emparée du stylo et, dans le scintillement de ses bagues, a signé le contrat. Elle s'est redressée, a lissé sa jupe sur ses hanches rondes, et a rejeté la tête en arrière, avant de déclarer :

— J'y vais. Je possède un autre club à Baton Rouge. Je m'installerai là-bas.

— Vous feriez mieux de prendre vos jambes à votre cou.

— Quoi ?

— De vous mettre à courir. Vous nous devez de l'argent, plus une traque pour la mort de notre sœur. Nous avons l'argent, ou en tout cas le moyen de l'obtenir, a-t-il dit en désignant le contrat. Il ne nous reste plus que la traque.

— Ce n'est pas juste !

D'accord, cette réflexion-là, même moi, elle m'a dégoûtée.

Claudine n'avait plus l'air ni douce, ni farfelue, mais redoutable :

— Si vous parvenez à nous éviter pendant un an, vous aurez la vie sauve.

— Un an !

Rita semblait enfin appréhender la réalité de sa situation. Elle commençait à avoir l'air désespérée.

— À partir de… maintenant ! a précisé Claude avant de relever les yeux de sa montre. Vous avez intérêt à y aller. On se donne un handicap de quatre heures.

— Juste pour s'amuser, a ajouté Claudine.

— Au fait, Rita ? a jeté Claude, tandis que Rita fonçait vers la porte.

Elle s'est retournée pour le regarder, et Claude lui a souri :

— Notre arme ne sera pas le citron.

L'ANNIVERSAIRE DE DRACULA

J'ai trouvé l'invitation dans la boîte aux lettres au bout de mon allée. J'avais oublié de vérifier mon courrier depuis deux jours, je me suis donc arrêtée alors que je partais travailler, obligée de me pencher par la portière pour ouvrir la boîte. Il n'y avait jamais rien d'intéressant dans mon courrier, sinon un vague prospectus de Walmart ou d'un autre supermarché, ou un de ces mailings déprimants sur la nécessité de réserver une concession funéraire.

Aujourd'hui, après un soupir à la vue de mes factures d'électricité et de câble, j'avais un petit cadeau : une belle et épaisse enveloppe couleur chamois, qui contenait visiblement une invitation. L'adresse avait été rédigée par quelqu'un qui, de toute évidence, avait non seulement pris des cours de calligraphie, mais réussi l'examen final haut la main.

J'ai tiré de ma boîte à gants un petit canif, et ouvert l'enveloppe avec tout le soin qu'elle méritait. Je ne reçois pas beaucoup d'invitations, et rarement du genre filigrané. L'instant méritait d'être savouré. J'ai sorti avec précaution le carton plié, et je l'ai ouvert. Quelque chose est tombé sur mes genoux dans un flottement : une feuille de papier de soie.

Sans assimiler le texte, j'ai passé mon doigt sur la gravure en relief. Mince.

J'avais fait durer les préliminaires autant que possible. Je me suis penchée ensuite pour déchiffrer la police en italique.

Eric Northman
Et le personnel du Fangtasia

Sollicitent l'honneur de votre présence
À la soirée annuelle du Fangtasia
Pour célébrer l'anniversaire du
Seigneur des Ténèbres

Le Prince Dracula

Le 13 janvier, à partir de 22 heures
Accompagnement musical du Duc de la Mort
Tenue habillée RSVP

Je l'ai lue deux fois. Puis encore une fois.

J'étais d'humeur tellement pensive sur la route que heureusement, il n'y avait pas de circulation sur Hummington Road. J'ai tourné à gauche pour atteindre le *Merlotte*, mais j'ai ensuite failli dépasser allègrement le parking. J'ai freiné au dernier moment, et viré pour me frayer un chemin jusqu'au parking réservé aux employés à l'arrière du bar.

Sam Merlotte, mon patron, était assis derrière son bureau lorsque j'ai jeté un œil pour aller ranger mon sac dans le grand tiroir qu'il mettait à la disposition des serveuses. Il venait encore de se passer les mains dans les cheveux, parce que l'auréole de

sa chevelure rousse emmêlée était encore plus hir-
sute que d'habitude. Il a levé les yeux de sa déclaration d'impôts et m'a souri.

— Sookie, comment vas-tu ?

— Bien. C'est la saison des impôts, hein ?

J'ai pris soin de rentrer mon tee-shirt blanc de
façon uniforme, pour que le MERLOTTE brodé sur
mon sein gauche soit bien d'aplomb. J'ai retiré de
mon pantalon noir un de mes longs cheveux blonds.
Je me penche toujours en avant pour brosser mes
cheveux, pour que ma queue de cheval soit bien
lisse.

— Tu ne les donnes pas à l'expert-comptable, cette
année ?

— Je me dis que si je m'y mets maintenant, je
peux les faire moi-même.

Il répétait la même chose tous les ans, et finissait
toujours par prendre rendez-vous avec l'expert, qui
devait toujours demander un délai supplémentaire
pour la remise de la déclaration.

— Dis donc, tu en as reçu une ? ai-je demandé en
lui tendant l'invitation.

Il a laissé tomber son stylo avec soulagement,
pour me prendre le carton des mains.

— Non, a-t-il répondu après avoir parcouru le
texte. De toute façon, ils ne doivent pas inviter beaucoup de métamorphes. Peut-être le chef de meute
local, ou une créature surnaturelle qui leur a rendu
un service significatif... comme toi.

Je lui ai répondu, surprise :

— Je n'ai rien de surnaturel ! J'ai juste un... problème.

— La télépathie est davantage qu'un problème.
L'acné, la timidité, voilà des problèmes. Lire dans les
pensées des gens, c'est un don.

— Ou une malédiction.

J'ai contourné le bureau pour jeter mon sac dans le tiroir, et Sam s'est levé. Je mesure pas loin d'un mètre soixante-huit, et Sam me dépasse de sept ou huit centimètres. Pas si costaud que ça, il est quand même bien plus fort qu'un humain de sa taille, puisque c'est un métamorphe.

— Tu vas y aller ? m'a-t-il demandé. Les seuls congés qu'observent les vampires sont Halloween et l'anniversaire de Dracula, et j'ai cru comprendre qu'ils organisaient de sacrées soirées.

— Je n'ai pas encore décidé. J'appellerai peut-être Pam plus tard, pendant ma pause.

Pam, le bras droit d'Eric, était la seule chez les vampires que je puisse à peu près considérer comme une amie.

Peu après le coucher de soleil, je l'ai contactée au *Fangtasia*. Après lui avoir annoncé que j'avais reçu l'invitation, je l'ai interrogée :

— Il y a vraiment eu un Comte Dracula ? Je croyais qu'il s'agissait d'une invention.

— Non, il a véritablement existé. Vlad Tepes. Un prince de Valachie, dont la capitale était Târgovişte, je crois, m'a-t-elle répondu de façon très factuelle, si l'on considérait qu'elle parlait d'une créature dont j'avais toujours été convaincue qu'elle était née de l'imagination conjuguée de Bram Stoker et d'Hollywood.

— Vlad III a été, de son vivant d'être humain, plus féroce et assoiffé de sang que n'importe quel vampire. Il prenait plaisir à exécuter les gens en les empalant sur d'énormes pieux de bois. L'agonie pouvait durer des heures.

J'ai frissonné. Beurk.

— Bien entendu, a poursuivi Pam, ses propres gens le considéraient avec effroi. Mais les vampires locaux admiraient tellement Vlad qu'ils l'ont fait passer de l'autre côté au moment de sa mort. Inaugurant ainsi une nouvelle ère pour les vampires. Après qu'il eut été enterré sur une île, au monastère de Snagov, il a ressuscité le troisième jour, pour devenir le premier vampire moderne. Jusque-là, les vampires étaient… eh bien, plutôt répugnants. Ils vivaient complètement cachés, sales, loqueteux, au fond de terriers dans les cimetières, comme des animaux. Mais Vlad Dracul avait été un souverain, et il n'allait sûrement pas vivre en haillons dans un terrier! a-t-elle expliqué d'un ton fier.

J'ai essayé de me représenter Eric en guenilles au fin fond d'un terrier: impossible.

— Stoker n'a donc pas imaginé tout ça en s'inspirant de légendes populaires?

— Uniquement certaines parties. Évidemment, il ne savait pas grand-chose des capacités réelles de Dracula, comme il l'a appelé, mais sa rencontre avec le prince l'a tellement excité qu'il a inventé plein de détails pour ajouter un peu de piment à l'histoire. Un peu comme la rencontre d'Anne Rice avec Louis: on pourrait dire que c'était le premier *Entretien avec un vampire*. Après, Dracula a regretté de s'être laissé aller avec Stoker, mais il a apprécié la notoriété.

— Mais il ne sera pas vraiment là, n'est-ce pas? Je veux dire, les vampires célèbrent l'événement partout dans le monde…

Pam m'a répondu très prudemment:

— Il y en a qui pensent que chaque année il se montre quelque part, qu'il fait une apparition surprise. Mais l'éventualité est tellement hypothétique, ce serait comme de gagner à la loterie, s'il débarquait à notre soirée. Bien que certains soient convaincus que l'événement peut se produire.

La voix d'Eric s'est élevée en arrière-plan:

— Pam, à qui parles-tu?

— OK, a fait Pam. (Son *OK* sonnait très américain, malgré son léger accent anglais.) Je dois y aller,
Sookie. À bientôt.

Tandis que je raccrochais le téléphone du bureau,
Sam m'a mise en garde :

— Si tu vas à la soirée, Sookie, fais attention, sois
vigilante. Quelquefois, les vampires se laissent
emporter par l'excitation de l'anniversaire de
Dracula.

— Merci, Sam, ne t'inquiète pas, je ferai attention.

Quel que soit le nombre de vampires que vous
revendiquiez en tant qu'amis, vous aviez intérêt à
rester sur vos gardes. Il y a de cela quelques années,
les Japonais avaient inventé un sang synthétique
qui satisfaisait les besoins nutritionnels des vampires, ce qui avait permis aux morts-vivants de sortir de l'ombre et de prendre leur place à la table
américaine. Les vampires anglais s'en étaient bien
sortis aussi, ainsi que la plupart des vampires d'Europe de l'Est, à la suite de la Grande Révélation (le
jour où ils avaient annoncé leur existence, par l'in-
termédiaire de représentants soigneusement triés
sur le volet). Cependant, de nombreux vampires
sud-américains avaient eu l'occasion de regretter
leur *coming out*, quant à ceux des pays musul-
mans... eh bien, il n'en restait qu'un très petit
nombre. Dans toutes les contrées inhospitalières,
les vampires s'efforçaient d'émigrer vers les
pays qui les toléraient. Avec pour résultat que le
Congrès américain examinait plusieurs projets de
loi visant à empêcher les morts-vivants de réclamer
l'asile politique. En conséquence, nous connaissions un afflux de vampires aux accents plus différents les uns que les autres, qui tentaient de
franchir les frontières illégalement. La plupart
d'entre eux avaient atterri en Louisiane, particulière-

ment accueillante pour les Sang-Froids, comme les a baptisés *Fangbanger Xtreme*.

Penser aux vampires était plus drôle que d'entendre les pensées de mes concitoyens. Bien entendu, de table en table, je faisais mon boulot avec un grand sourire, parce que j'apprécie les bons pourboires, mais ce soir, je n'avais pas le cœur à l'ouvrage. La journée avait été chaude pour un mois de janvier, environ dix degrés, et les gens s'étaient mis à rêver de printemps.

J'essaie de ne pas écouter, mais je suis comme une radio qui capte plein de signaux. Suivant les jours, je contrôle plus ou moins bien ma réception. Aujourd'hui, je ne percevais que des bribes dans tous les sens. Hoyt Fortenberry, le meilleur ami de mon frère, songeait à la tâche que sa mère lui avait trouvée : planter dix nouveaux rosiers dans son jardin déjà vaste. Morose mais obéissant, il essayait de calculer le temps que l'opération allait lui prendre. Arlene, ma vieille amie et également serveuse, se demandait si elle allait arriver à pousser son dernier petit ami en date à lui proposer le mariage. Mais pour Arlene, la question se posait pratiquement perpétuellement et, comme les roses, refleurissait à chaque saison.

Tout en essuyant les tables et en me pressant pour distribuer les paniers de doigts de poulet (ce soir-là, il y avait foule pour le dîner), mes propres pensées se concentraient sur une seule idée : comment dégotter une tenue habillée pour la soirée. J'avais bien une vieille robe cousue à la main par ma tante Linda pour le bal du collège, mais elle était complètement démodée. À vingt-six ans, je n'avais aucune robe de demoiselle d'honneur qui puisse servir. De mes quelques amies, aucune ne s'était mariée, à l'exception d'Arlene, qui, elle, l'avait fait tellement de fois qu'elle n'avait même jamais eu le temps de penser aux demoiselles d'honneur. Les rares jolis vêtements achetés pour des événements organisés par des vampires avaient toujours été abîmés... et pour certains, dans des circonstances très désagréables.

Je faisais d'habitude mes achats au magasin de mon amie Tara, mais il était fermé après six heures du soir. Aussi, après avoir quitté le travail, je me suis rendue à Monroe, au centre commercial Pecanland, et j'ai trouvé mon bonheur chez Dillard's. À dire vrai, la robe me plaisait tellement que, même si elle n'avait pas été en solde, je l'aurais probablement achetée. Mais la réduction de cent cinquante à vingt-cinq dollars l'avait hissée à coup sûr au rang de trophée du shopping. Très simple, sans bretelles, elle était rose, avec un haut à sequins et un bas en mousseline de soie. Je porterais les cheveux dénoués, les boucles d'oreilles en perle de ma grand-mère, et des talons hauts argentés également en solde.

Ayant réglé ce point important, j'ai concocté un mot d'acceptation poli, que j'ai expédié au courrier. J'étais fin prête.

Trois soirs plus tard, je frappais à la porte de derrière du *Fangtasia*, tenant bien haut ma housse à vêtements.

— Tu ne m'as pas l'air très « habillée », a remarqué Pam en me faisant entrer.

— Je ne voulais pas froisser ma robe, ai-je répondu en me débinant vers la salle de bains, prenant bien soin de ne pas laisser traîner ma housse.

La porte de la salle de bains ne comportant pas de verrou, Pam a monté la garde devant pour que je ne sois pas dérangée. Lorsque je suis sortie, mes vêtements ordinaires roulés en boule sous mon bras, elle a souri :

— Sookie, tu es superbe.

Elle-même, revêtue d'un smoking en lamé argenté, était spectaculaire. Mes cheveux sont légèrement ondulés, mais ceux de Pam sont d'un blond plus pâle, et très lisses. Nous avons toutes les deux les yeux bleus, mais les siens sont plus arrondis et d'une nuance plus claire, et elle ne bat quasiment pas des paupières.

— Eric va être très content.

J'ai rougi. Nous avons eu une histoire, Eric et moi. Le seul problème, c'est qu'il était amnésique lorsqu'elle est née, et qu'il ne s'en souvient donc pas. Ce qui n'est pas le cas de Pam.

— Je me fiche pas mal de ce qu'il pense.

— C'est ça, m'a-t-elle répondu avec un sourire en coin. Il t'est totalement indifférent. Et l'inverse également.

Je me suis efforcée de faire comme si je prenais ses paroles au premier degré, sans y discerner le sarcasme. À ma grande surprise, elle m'a déposé un léger baiser sur la joue.

— Merci d'être venue, a-t-elle dit. Ta présence va peut-être le ragaillardir. Il a été très difficile de travailler avec lui, ces derniers jours.

— Pourquoi ? ai-je demandé alors que je n'étais pas sûre d'avoir envie de connaître la réponse.

— Tu as déjà vu *Charlie Brown et la Grande Citrouille* ?

Je me suis arrêtée net.

— Bien sûr. *Toi*, tu l'as vu ?

— Oh oui, a fait Pam. À plusieurs reprises.

Elle m'a laissé une minute pour assimiler l'information, avant de continuer :

— Le jour de l'anniversaire de Dracula, Eric est exactement comme Linus, qui, à Halloween, attend désespérément l'arrivée de la Grande Citrouille, alors que tout le monde se moque de lui en lui disant qu'elle n'existe pas.... Tous les ans, Eric est convaincu que cette fois-ci, Dracula va choisir *sa* soirée à lui, pour faire son apparition. Il tire des plans sur la comète, fait des histoires à n'en plus finir, se tracasse, est survolté en permanence. Les invitations sont parties en retard parce qu'il les a renvoyées deux fois à l'imprimeur. Et maintenant que le jour J est arrivé, il est dans tous ses états.

— On a donc affaire à un cas de fan qui a pété les plombs ?

— Tu es vraiment douée pour la concision, a remarqué Pam avec admiration.

Nous nous trouvions devant le bureau d'Eric, qu'on entendait hurler à l'intérieur.

— Il est mécontent du nouveau barman. Il pense qu'il n'y a pas assez de bouteilles du sang favori du comte, d'après une interview dans *American Vampire*.

J'ai essayé de me représenter Vlad Tepes, l'empaleur de tant de ses compatriotes, en train de bavarder avec un journaliste. Pour rien au monde je n'aurais voulu être à la place de celui qui tenait le papier et le crayon. J'ai tenté péniblement de me raccrocher à la conversation :

— De quelle marque s'agit-il ?

— Il paraît que le Prince des Ténèbres préfère le Royalty.

— Waouh !

Pourquoi n'étais-je pas surprise ?

Le Royalty était un sang en bouteille très, très rare. Jusqu'à aujourd'hui, j'étais convaincue que son existence relevait de la rumeur. Il se composait d'un mélange de sang synthétique et de sang authentique – provenant de qui ? Vous l'avez deviné, de nobles titrés. Avant d'aller imaginer des vampires entreprenants tendant une embuscade au mignon Prince William, je vous rassure : il y a en Europe un paquet d'aristocrates de rang mineur ravis de donner leur sang en échange de sommes astronomiques.

Pam a poursuivi d'un ton lugubre :

— Au bout de l'équivalent d'un mois de coups de téléphone, nous avons réussi à obtenir deux bouteilles, qui coûtent plus cher que nous ne pouvons nous le permettre. Mon créateur a toujours été très avisé en affaires, mais cette année, Eric a l'air de s'être emballé. Tu sais, comme il contient du vrai sang, le Royalty ne se conserve pas très longtemps… et maintenant, Eric s'inquiète de ne pas avoir assez de deux bouteilles ! Il tourne tellement de légendes autour de Dracula, qui sait ce qui peut être vrai ? Il a entendu dire que Dracula ne boit que du Royalty, ou bien… de l'authentique.

— Du vrai sang ? Mais c'est illégal, à moins d'un donneur consentant !

Tout vampire qui prélevait du sang à un humain – contre la volonté de celui-ci – était passible de l'exécution capitale, par le pieu ou la lumière du soleil, à lui de choisir. Un autre vampire, appointé par l'État, procédait normalement à l'exécution. Personnellement, je trouvais qu'un vampire qui prenait le sang d'une personne non consentante méritait largement cette exécution, car il y avait suffisamment de fangbangers plus que disposés à faire don de leur sang.

— Et aucun vampire n'est autorisé à tuer Dracula, ni même à le frapper, a dit Pam comme en écho à mes réflexions, avant d'ajouter précipitamment : Mais il ne nous viendrait pas à l'idée de le frapper, bien sûr !

C'est ça, ai-je pensé.

— Nous lui vouons une telle vénération que tout vampire qui porte la main sur lui doit affronter le soleil. Et nous devons également assistance financière à notre prince.

Les autres vampires doivent-ils aussi lui passer les canines au fil dentaire, par-dessus le marché? me suis-je demandé.

La porte du bureau d'Eric s'est ouverte à la volée, si violemment qu'elle s'est tout de suite refermée. Le battant a été repoussé plus doucement, et Eric est sorti.

J'en suis restée bouche bée. Il était carrément à croquer. Très grand, très large d'épaules, très blond, il avait enfilé ce soir un smoking qui ne venait pas d'un magasin de prêt-à-porter. Ce smoking-là avait été taillé sur mesure pour lui, et il était beau comme un James Bond, là-dedans. Un drap noir sans un atome de peluche, une chemise blanche immaculée, et un nœud papillon noué à la main, sa chevelure magnifique cascadant sur ses épaules…

— James Bond, ai-je murmuré.

Le regard d'Eric flamboyait d'excitation. Sans un mot, il m'a fait ployer en arrière, comme si nous étions en train de danser, et m'a planté un baiser du feu de Dieu: lèvres, langue, la totale en la matière. Oh là là, oh là là… Quand je me suis mise à trembler, il m'a aidée à me relever. Son sourire éblouissant dévoilait des canines luisantes. Eric s'était bien amusé.

— Le bonjour à toi aussi, ai-je grincé d'un ton acerbe, une fois que j'ai eu retrouvé mon souffle.

— Ma délicieuse amie, a-t-il dit avec une révérence.

Je n'étais pas sûre que le terme d'amie s'applique tout à fait à moi, et quant à ma qualité de délice, j'étais obligée de le croire sur parole.

— Quel est le programme de la soirée? ai-je demandé en espérant que mon hôte se calme rapidement.

— Nous allons danser, écouter de la musique, boire du sang, regarder le spectacle, et attendre la venue du comte. Je suis heureux de ta présence. Notre éventail d'invités spéciaux est très large, mais tu es la seule télépathe.

— Bien, ai-je soufflé dans un murmure.

— Vous êtes particulièrement jolie ce soir.

C'était Lyle qui venait de parler. Il se tenait juste derrière Eric, et je ne l'avais même pas remarqué. Mince, le visage étroit, les cheveux bruns hérissés en épis, Lyle n'avait pas la présence qu'Eric avait acquise en mille ans d'existence. Lyle était un vampire d'Alexandria en visite, qui effectuait son stage au très prospère *Fangtasia*, car il voulait ouvrir son propre bar à vampires. Il portait une petite glacière qu'il prenait bien soin de tenir d'aplomb.

— Le Royalty, a expliqué Pam d'un ton neutre.

— Je peux voir?

Eric a soulevé le couvercle pour me montrer le contenu : deux bouteilles de couleur bleue (pour le sang bleu, sans doute), dont les étiquettes arboraient pour logo un diadème et le simple mot « Royalty » en lettres gothiques.

— Très joli, ai-je remarqué, pas particulièrement impressionnée.

— Cela va lui faire tellement plaisir! a lancé Eric, que je n'avais jamais vu aussi radieux.

— Tu as l'air bizarrement certain de ce que... de la venue de Dracula.

Le hall était bondé, et nous nous sommes dirigés vers la partie publique du club.

— J'ai réussi à parler affaires avec le manager du Maître, et lui exprimer à quel point la présence de celui-ci représenterait un honneur pour moi et mon établissement.

Pam m'a regardée en levant les yeux au ciel.

— Tu lui as donné un pot-de-vin, ai-je traduit.

D'où le surcroît d'excitation d'Eric cette année, et son acquisition des bouteilles de Royalty.

Je n'avais jamais soupçonné qu'il puisse vouer une telle adulation à quelqu'un d'autre que lui, ni qu'il soit capable de dépenser tant d'argent pour une telle raison. Eric était charmant et dynamique, et il prenait soin de ses employés ; mais il était le premier en haut de sa liste d'admirateurs, et son propre bien-être constituait sa première priorité.

— Chère Sookie, tout cela n'a pas l'air de t'enchanter, a remarqué Pam avec un large sourire.

Elle adorait semer le trouble, et avait trouvé ce soir un terrain propice. Eric s'est retourné pour me lancer un regard, et les traits de Pam ont retrouvé leur douceur lisse.

— Tu ne crois pas à sa venue, Sookie ? m'a demandé Eric.

Dans son dos, Lyle a roulé des yeux, de toute évidence excédé par le fantasme d'Eric.

Tout ce que je voulais, c'était assister à une soirée avec une jolie robe et m'amuser, et voilà que je me retrouvais embringuée dans une conversation épineuse.

— Eh bien, nous allons voir, non ? ai-je répondu gaiement, ce qui a paru satisfaire Eric. Le club est magnifique !

En temps normal, le *Fangtasia* était l'endroit le plus simple qu'on puisse imaginer, à l'exception du néon et de la combinaison de peinture rouge et gris soutenu. Le sol était en béton, les tables et les chaises en métal, du mobilier de restaurant basique, et les box guère mieux. Ce soir, la transformation était incroyable. Des bannières avaient été suspendues au plafond. Chacune d'entre elles, blanche, arborait un ours rouge : une sorte d'ours stylisé dressé sur ses pattes de derrière, une patte levée, prête à frapper.

En réponse à mon geste interrogateur, Pam a expliqué :

— Une réplique de l'étendard personnel du Maître. Eric a payé un historien de l'Université de Louisiane pour effectuer des recherches.

Son expression indiquait clairement qu'à son avis, Eric s'était fait escroquer dans les grandes largeurs.

Sous un dais réduit, un véritable trône avait été installé au milieu de la petite piste de danse du *Fangtasia*. En me rapprochant, j'ai conclu qu'Eric avait dû le louer à une troupe de théâtre. À dix mètres, il faisait illusion, mais de près... pas tant que ça. Un coussin rouge rebondi destiné au Prince des Ténèbres le rendait néanmoins plus pimpant, et le dais était situé exactement au centre d'un carré de tapis rouge sombre. Toutes les tables avaient été recouvertes de nappes rouges ou blanches, et comportaient des arrangements floraux recherchés. Je n'ai pu m'empêcher de rire en détaillant l'un d'eux : au sein de l'explosion de verdure et d'œillets rouges étaient plantés des cercueils miniatures et des pieux grandeur nature. Le sens de l'humour d'Eric avait quand même repris le dessus.

Au lieu de la WDED, la radio entièrement destinée aux vampires, les haut-parleurs diffusaient une sorte de trémolos de violon très sentimental, à la fois grésillant et entraînant.

— De la musique transylvanienne, a expliqué Lyle en prenant bien soin de ne rien laisser transparaître. Le DJ Le Duc de la Mort viendra plus tard nous entraîner dans un parcours musical.

À le voir, il était évident qu'il aurait préféré avaler des couleuvres.

Dressé contre un des murs du bar, j'ai aperçu un petit buffet pour les êtres qui consommaient de la nourriture, et une grande fontaine à sang pour les autres. La fontaine, dont les flots écarlates s'écoulaient doucement sur plusieurs niveaux de coupes de verre brillant de couleur laiteuse, était entourée de gobelets de cristal. Tout cela était un tout petit peu exagéré.

— Mince, ai-je remarqué faiblement tandis qu'Eric et Lyle se dirigeaient vers le bar.

— Si tu savais l'argent dépensé, a soufflé Pam avec un hochement de tête désespéré.

La pièce était pleine de vampires, ce qui n'était pas vraiment surprenant. J'ai reconnu quelques-uns des présents : Indira, Thalia, Clancy, Maxwell Lee et Bill Compton, mon ex. Il y en avait au moins une vingtaine que je n'avais pas vus plus d'une ou deux fois, et qui vivaient dans la Cinquième Zone sous l'autorité d'Eric. Il y en avait certains que je ne connaissais pas du tout, y compris un type derrière le bar qui devait être le nouveau barman. Le *Fangtasia* épuisait très rapidement les serveurs.

D'autres créatures, ni vampires, ni humains, appartenaient à la communauté des créatures surnaturelles de Louisiane. Le chef de la meute des loups-garous de Shreveport, le colonel Flood, était installé à une table avec Calvin Norris, le meneur de la petite communauté de panthères-garous qui vivaient en dehors de Bon Temps, à Hotshot et ses alentours. Le colonel Flood, maintenant retiré de l'aviation, se tenait assis bien droit, raide dans un costume de qualité, tandis que Calvin arborait sa conception d'une tenue de soirée – une chemise western, des jeans neufs, des bottes de cow-boy et un chapeau de cow-boy noir. Il m'a saluée en soulevant légèrement son chapeau, et son léger signe de tête exprimait l'admiration. Celui du colonel Flood était moins personnel mais néanmoins amical.

Eric avait également invité un individu petit et large qui me rappelait fortement un goblin que j'avais rencontré un jour. Ce mâle-là appartenait à la même espèce, j'en étais sûre. Les goblins sont irritables et d'une force redoutable, et lorsqu'ils sont en colère, un simple contact avec eux peut vous brûler, aussi ai-je décidé de me tenir à bonne distance de celui-ci. Il était plongé en pleine conversation avec une femme très mince au regard fou, qui portait un assemblage de feuilles variées et de feuilles de vigne. Je n'allais pas me risquer à poser une question.

Bien entendu, il n'y avait pas de faé. Les faé sont aussi grisants pour les vampires que l'eau sucrée pour les colibris.

Le membre le plus récent du personnel du *Fangtasia*, un petit homme costaud aux longs cheveux bruns ondulés, se tenait derrière le bar. Doté de grands yeux et d'un nez proéminent, il s'affairait à préparer les boissons, l'air de tout prendre avec amusement.

— Qui est-ce ? ai-je demandé avec un signe de tête en direction du bar. Et qui sont les vampires inconnus ? Eric s'agrandit ?

— Si tu te trouves en transit le soir de l'anniversaire de Dracula, m'a expliqué Pam, le protocole veut que tu t'inscrives au bureau du shérif le plus proche pour participer sur place à la célébration. Voilà pourquoi il y a ici des vampires que tu n'as jamais rencontrés. Et le nouveau serveur est Milos Griesniki, immigré récent du Vieux Continent. Répugnant.

J'ai fixé Pam.

— Comment ça ?

— C'est un sournois, un fouineur.

Jamais je n'avais entendu Pam émettre une opinion aussi tranchée, j'ai donc observé le vampire avec curiosité.

— Il s'efforce de découvrir combien Eric a d'argent, combien gagne le club, et combien sont payées nos petites serveuses humaines.

— Tiens, à propos, où sont-elles ?

Les serveuses ainsi que le personnel courant, tous des groupies de vampires (baptisés dans certains cercles fangbangers), étaient d'habitude bien en évidence, vêtus de noir translucide et poudrés de blanc, presque aussi livides que les véritables vampires.

— Trop dangereux pour eux, ce soir, m'a répondu simplement Pam. Tu constateras qu'Indira et Clancy servent les invités.

Indira avait revêtu un magnifique sari, montrant qu'elle avait fait un effort pour l'occasion, elle qui portait en règle générale des jeans et des tee-shirts. Clancy, aux cheveux roux rêches et au regard vert vif, était en costume, une première également. Au lieu d'une banale cravate, il arborait une écharpe nouée en un nœud flottant, et lorsque j'ai croisé son regard, il a exigé mon admiration en se balayant d'un geste de la tête aux pieds. J'ai approuvé d'un sourire, même si, sincèrement, je préférais Clancy dans ses grosses bottes et sa tenue de dur à cuire.

Eric s'agitait de table en table. Il étreignait, saluait, parlait comme un dément. Était-ce touchant ou inquiétant ? Les deux, ai-je tranché. J'avais incontestablement découvert le point faible d'Eric.

J'ai discuté quelques minutes avec le colonel Flood et Calvin. Le colonel Flood s'est montré poli et distant comme jamais ; les non-loups-garous ne l'intéressaient guère, et maintenant qu'il était retraité, il n'avait affaire aux gens normaux que par nécessité. Calvin m'a annoncé qu'il avait remplacé le toit de sa maison tout seul, et m'a invitée à venir pêcher avec lui quand le temps s'y prêterait. J'ai souri, sans m'engager à quoi que ce soit. Ma grand-mère avait adoré la pêche, mais pour moi, deux heures suffisaient amplement, et ensuite, il me fallait passer à autre chose. J'observais Pam dans ses activités de bras droit, veillant à ce que tous les vampires visiteurs soient satisfaits, réprimandant sèchement le nouveau barman lorsqu'il se trompait dans une commande. Milos Griesniki lui a retourné un regard mauvais qui m'a fait frissonner. Mais, mieux que quiconque, Pam était capable de prendre soin d'elle-même.

Clancy, qui gérait le club depuis un mois, s'assurait que les tables aient des cendriers propres (certains vampires fumaient), que les verres et autres saletés soient débarrassés promptement. Lorsque le DJ Le Duc de la Mort a fait son apparition, la musique a pris un peu de rythme. Quelques vampires se sont lancés sur la piste de danse, avec cet extrême abandon dont seuls font preuve les morts-vivants.

J'ai dansé deux ou trois fois avec Calvin, mais nous n'étions guère de taille avec les vampires. Eric m'a invitée pour un slow, et j'en ai eu des frétillements dans les orteils, même s'il était de toute évidence distrait par la perspective de ce que cette soirée pouvait lui réserver – rapport à Dracula. Il m'a murmuré :

— Un soir, nous serons seuls ici tous les deux, toi et moi.

Une fois la chanson achevée, j'ai dû retourner à la table me verser une grande boisson froide avec beaucoup de glaçons.

L'heure tournait, et aux alentours de minuit, les vampires se sont réunis autour de la fontaine de sang, pour remplir les gobelets de cristal. Les autres invités se sont également levés. Je me tenais près de la table où j'avais bavardé avec Calvin et le colonel Flood lorsque Eric est arrivé avec un petit gong, sur lequel il a commencé à frapper. Il aurait été rouge d'excitation, s'il avait été humain. En l'occurrence, son regard flamboyait. Il était tellement concentré qu'il en était à la fois beau et effrayant.

Lorsque le dernier écho du gong s'est évanoui dans le silence, Eric a levé haut son verre :

— En ce jour des plus mémorables, nous sommes réunis avec respect, dans l'espoir que le Seigneur des Ténèbres nous honore de sa présence. Ô Prince, fais ton apparition !

Tout le monde est bien resté figé dans le silence, dans l'attente de la Grande Citrouille – oh, pardon, du Prince des Ténèbres. À l'instant où le visage d'Eric commençait de s'assombrir, une voix criarde a brisé la tension :

— Ô mon loyal fils, je vais me révéler !

Milos Griesniki a sauté par-dessus le bar, arrachant sa veste de smoking, son pantalon et sa chemise, pour découvrir… une invraisemblable combinaison taillée dans un truc noir, brillant et élastique. Le genre de chose que j'aurais bien vu sur une gamine se rendant au bal du collège, une fille pas très riche essayant de se donner l'air sexy et original. Avec sa moustache, ses cheveux bruns et son corps trapu, Milos ressemblait plutôt à un acrobate de cirque de troisième zone, dans sa combinaison.

Un murmure de voix étouffées et excitées s'est élevé. Calvin a soufflé un : « Merde alors ! », que le colonel Flood a vigoureusement approuvé d'un hochement de tête.

58

Le barman a pris royalement la pose devant Eric. Celui-ci, après un instant de surprise, s'est incliné devant le vampire bien plus petit que lui.

— Seigneur, je suis votre serviteur, a-t-il déclamé. Que vous nous fassiez l'honneur... que vous soyez véritablement parmi nous... aujourd'hui, tout particulièrement... je suis bouleversé.

— Putain de poseur, a marmonné Pam à mon oreille.

Dans le brouhaha qui avait suivi l'annonce du barman, elle s'était glissée derrière moi.

— Tu crois ?

Je contemplais le spectacle du royal et sûr de lui Eric en train de babiller, ayant même mis un genou en terre.

Un geste de Dracula pour demander le silence, et Eric s'est arrêté en plein milieu d'une phrase. De même que tous les vampires de la salle.

— Au bout de ce séjour incognito d'une semaine, a déclaré Dracula pompeusement, avec un accent discordant mais pas déplaisant, j'apprécie tellement cet endroit que je me propose d'y demeurer un an. Pendant mon séjour, j'accepterai votre tribut, qui me permettra de mener le train auquel j'ai été habitué durant mon existence. Bien que le Royalty en bouteille soit acceptable en tant que bouche-trou, moi, Dracula, je refuse cette habitude moderne de boire du sang artificiel, aussi aurai-je besoin d'une femme par jour. À commencer par celle-ci, a-t-il assené en me désignant du doigt.

Le colonel Flood et Calvin se sont instantanément rapprochés pour m'encadrer, ce que j'ai apprécié. Les vampires ont affiché un air perplexe, ce qui ne seyait pas du tout à des traits de morts-vivants. À l'exception de Bill, dont le visage était totalement dénué d'expression.

Suivant le doigt boudiné de Vlad Tepes, Eric m'a identifiée en tant que futur Happy Meal, puis toujours à genoux, a levé les yeux pour fixer Dracula. Impossible de lire quoi que ce soit sur son visage, et une sensation de peur m'a traversée. Qu'aurait fait Charlie Brown, si la Grande Citrouille avait voulu dévorer la petite fille rousse?

— Quant à mon entretien financier, une dîme prélevée sur les revenus du club et une maison suffiront à mes besoins, ainsi que quelques domestiques: votre bras droit ou le gérant de votre club, l'un des deux devrait faire l'affaire...

Pam a émis un véritable grognement, un son très bas qui m'a fait dresser les cheveux sur la tête. Clancy, lui, affichait un air aussi farouche que si quelqu'un avait expédié un coup de pied à son chien.

Dissimulée derrière moi, Pam farfouillait dans le milieu de table. Une seconde plus tard, j'ai senti qu'elle me fourrait quelque chose dans la main. J'ai jeté un coup d'œil.

— C'est toi l'humaine, a-t-elle murmuré.

— Viens, ma fille, m'a intimé Dracula d'un geste de ses doigts repliés. J'ai faim. Viens à moi, que je t'honore devant cette assemblée.

Le colonel Flood et Calvin m'avaient tous les deux saisie par les bras, mais je leur ai dit très doucement:

— Vous n'allez pas risquer vos vies pour ça. Ils vous tueront si vous tentez de résister. Ne vous inquiétez pas, ai-je ajouté en me dégageant de leur étreinte, et en les regardant droit dans les yeux l'un après l'autre.

J'essayais de projeter un sentiment d'assurance. Je ne sais pas ce qu'ils ont perçu, mais ils ont compris qu'il y avait un plan.

Je me suis efforcée de glisser en direction du barman en paillettes, comme subjuguée. J'ai fait illusion, Dracula ne se doutant visiblement pas une seconde de ses propres pouvoirs, alors que les vampires sont incapables d'agir sur moi de cette façon.

— Maître, comment vous êtes-vous échappé de votre tombe à Târgovişte? ai-je demandé, l'air le plus admiratif et rêveur possible, les mains le long du corps, dissimulées par les plis de mousseline rose.

— Nombreux sont ceux qui m'ont posé cette question, a répondu le Prince des Ténèbres avec un hochement de tête affable, en même temps qu'Eric relevait brusquement la tête, les sourcils froncés. Mais l'histoire attendra. Je suis si heureux que tu aies laissé ton cou nu ce soir, ma toute belle. Viens près de moi… *AAARRRGGGHH!*

— *Ça*, c'est pour la nullité des dialogues! ai-je jeté d'une voix tremblante en poussant de toutes mes forces pour faire pénétrer le pieu encore plus avant.

— Et *ça*, c'est pour t'apprendre à nous avoir mis la honte! a renchéri Eric en flanquant un coup de poing sur l'extrémité du pieu, juste pour donner un coup de main, pendant que le « Prince » nous dévisageait avec horreur.

Le pieu avait obligeamment disparu dans les tréfonds de sa poitrine.

— Vous osez… vous osez, a croassé le petit vampire. Vous serez exécutés!

— Je ne crois pas.

Son regard est devenu vide, ses traits aussi, des flocons se sont élevés de sa peau tandis qu'il se ratatinait.

Le Dracula autoproclamé s'est affaissé sur le sol, mais en jetant un œil autour de moi, mon assurance a été un peu ébranlée. Seule la présence d'Eric à mes côtés empêchait l'assemblée de me sauter dessus et de me faire mon affaire. Les vampires étrangers étaient les plus dangereux ; ceux qui me connaissaient allaient hésiter.

J'ai annoncé d'une voix aussi claire et forte que possible :

— Ce n'était pas Dracula, mais un imposteur !

— Tuez-la ! a sifflé une vampire femelle aux cheveux bruns courts. Tuez la meurtrière !

Elle avait un fort accent, probablement russe. Je commençais à en avoir soupé, de la nouvelle vague de vampires.

Non mais, parle pour toi ! m'a traversé l'esprit.

— Vous tous croyez vraiment que cet abruti était le Prince des Ténèbres ? ai-je demandé en désignant le tas de flocons sur le sol, que seul maintenait la combinaison pailletéé.

— Il est mort. Quiconque tue Dracula doit mourir, a annoncé Indira, mais plutôt calmement, pas comme si elle allait me sauter dessus pour me déchiqueter la gorge.

Pam a rectifié :

— Tout *vampire* qui tue Dracula doit mourir. Mais Sookie n'est pas un vampire, et lui n'était pas Dracula.

— Elle a tué un vampire qui se faisait passer pour notre fondateur, a assuré Eric en élevant la voix pour que tout le club puisse l'entendre. Milos n'était pas le véritable Dracula. Si je n'avais pas eu la tête à l'envers, j'aurais moi-même enfoncé le pieu !

Mais debout à côté de lui, la main sur son bras, je sentais qu'Eric tremblait.

— Et comment le sais-tu ? Comment une humaine qui n'a passé que très peu de temps en sa présence a-t-elle pu le deviner ? Il ressemblait exactement aux gravures d'origine ! a rétorqué un type grand et trapu à l'accent français.

— Vlad Tepes a été enterré au monastère de Snagov, a répondu Pam avec calme, et tout le monde s'est tourné vers elle. Sookie lui a demandé comment il s'était échappé de sa tombe à Târgovişte.

Ça, ça leur a coupé le sifflet, au moins temporairement. Peut-être allais-je réussir à survivre à cette soirée, en définitive.

— Son créateur a droit à un dédommagement, a souligné le grand vampire, qui s'était considérablement calmé.

— Bien entendu, a approuvé Eric, si nous parvenons à déterminer son identité.

— Je vais effectuer des recherches dans ma base de données, a proposé Bill.

Toute la soirée, il s'était tapi dans l'ombre. À cet instant, il s'est avancé, et il m'a cherchée de son regard noir, comme le projecteur de l'hélicoptère de la police épingle le criminel en fuite dans l'émission *Cops*.

— Si personne ici ne l'avait jamais rencontré avant, a-t-il poursuivi, je vais retrouver son véritable nom.

Tous les vampires présents se sont regardés, mais personne ne s'est avancé pour revendiquer une quelconque accointance avec Milos/Dracula.

Sans sourciller, Eric a poursuivi :

— Entre-temps, souvenons-nous que tant que nous n'en saurons pas plus, cet événement doit demeurer secret parmi nous. Ce qui se passe à Shreveport ne sort pas de Shreveport, a-t-il martelé en appuyant très aimablement son argument d'un sourire qui dévoilait ses canines dans les grandes largeurs.

Un murmure d'assentiment a accueilli ses paroles.

— Et vous, les invités ? a-t-il ensuite demandé en se tournant vers les non-vampires de l'assistance.

— Les affaires des vampires n'ont rien à voir avec celles des loups-garous, a répondu le colonel Flood. On se fiche pas mal que vous vous entretuiez. Nous ne nous en mêlerons pas.

— Vos histoires n'intéressent pas les panthères, a affirmé Calvin avec un haussement d'épaules.

— J'ai déjà tout oublié, a décrété le goblin, et la folle à côté de lui a ri avec un hochement de tête approbateur.

Le reste des non-vampires a renchéri précipitamment.

Personne ne m'a demandé mon avis. Je suppose qu'ils tenaient mon silence pour acquis, et ils ne se trompaient pas.

Pam m'a tirée sur le côté. Elle a eu une sorte de « *tsss* » agacé, en brossant ma robe. J'ai baissé les yeux, et découvert qu'un fin brouillard ensanglanté avait constellé ma jupe de mousseline. J'ai compris sur-le-champ que je ne porterais plus jamais ma robe en solde chérie.

— Quel dommage, le rose te va si bien, a-t-elle remarqué.

J'ai pensé lui offrir le vêtement, puis me suis ravisée. J'allais rentrer à la maison et le brûler. Du sang de vampire sur ma robe ? Ce n'était pas le genre d'indice à laisser traîner dans le placard de quelqu'un. L'expérience m'a enseigné à me débarrasser instantanément d'habits tachés de sang.

— Tu as agi avec beaucoup de courage, a-t-elle souligné.

— Ma foi, il allait me mordre ! À mort.

— Je sais, mais quand même.

Son regard calculateur ne me disait rien qui vaille.

— Merci d'avoir aidé Eric alors que je n'en avais pas la possibilité. Mon créateur se conduit comme un gros idiot, dès qu'il s'agit du prince.

— Je l'ai fait parce qu'il allait me saigner, ai-je objecté.

— Tu as effectué des recherches sur Vlad Tepes.

— Oui. Je suis allée à la bibliothèque après ce que tu m'as raconté sur le vrai Dracula, et j'ai consulté Google.

— La légende veut que le véritable Vlad III ait été décapité avant d'être enterré, a souligné Pam, le regard brillant.

— C'est une des nombreuses histoires qui entourent sa mort.

— D'accord. Mais tu sais que même un vampire ne peut pas survivre à une décapitation.

— Sûrement pas.

— Tu sais donc que tout ça pourrait bien n'être qu'un tissu de conneries.

— Pam ! ai-je fait, légèrement choquée. Eh bien, en effet, peut-être... Et peut-être pas. Après tout, Eric a parlé à quelqu'un qui lui a affirmé être le manager du vrai Dracula.

— À l'instant où il est intervenu, tu as su que Milos n'était pas le véritable Dracula.

J'ai haussé les épaules, et Pam a secoué la tête :

— Sookie Stackhouse, tu es trop bonne. Un jour, cela t'attirera des ennuis.

— Non, je ne crois pas.

Je regardais Eric, sa chevelure dorée penchée tandis qu'il observait les restes du soi-disant Prince des Ténèbres en train de se désintégrer rapidement. Il croulait sous le poids de ses mille années d'existence et, l'espace d'une seconde, j'ai entrevu chacune d'entre elles. Puis, petit à petit, son visage s'est éclairci, et, lorsqu'il m'a regardée, il affichait l'espérance d'un enfant le soir de Noël :

— L'année prochaine, peut-être, a-t-il dit.

EN UN MOT

Il devait être aux alentours de minuit, et je ratissais les restes de coupes de mes buissons fraîchement taillés avec Bubba le Vampire, lorsque la longue voiture noire est apparue. Je savourais le doux parfum des tailles, le chant des grillons et des grenouilles célébrant l'arrivée du printemps. Mais l'arrivée de la limousine noire a fait taire tout le monde, et Bubba s'est immédiatement volatilisé, car la voiture lui était inconnue. Il est devenu très timide, depuis qu'il est vampire.

Je me suis appuyée sur mon râteau, m'efforçant de prendre l'air nonchalant. En réalité, j'étais tout sauf détendue. Je vis dans un endroit plutôt isolé et, pour trouver ma maison, il faut le vouloir. Aucun panneau sur la route paroissiale n'indique le chemin de la « Résidence Stackhouse ». Ma maison est invisible de la route, car l'allée d'accès serpente à travers les bois avant d'atteindre la clairière où le cœur de la demeure se dresse depuis cent soixante ans.

Les visiteurs ne sont pas vraiment légion, et je ne me souvenais pas d'avoir jamais vu venir une limousine. L'espace de quelques minutes, personne n'est sorti de la longue voiture noire. Je commençais à me demander si je n'aurais pas mieux fait de me cacher, comme Bubba. L'éclairage extérieur était allumé, bien sûr, puisque j'étais incapable de voir dans l'obscurité, contrairement à Bubba, mais les vitres de la limousine étaient fortement teintées. J'ai éprouvé la très grande tentation de flanquer un coup de râteau sur le pare-chocs rutilant pour voir ce qui allait se passer. Heureusement, la portière s'est ouverte alors que je ne m'étais pas encore décidée.

Un gentleman corpulent a émergé de l'arrière. Il mesurait plus d'un mètre quatre-vingts, et se composait de cercles. Son ventre constituait le cercle le plus large. Au-dessus, sa tête ronde était presque chauve, à l'exception d'une sorte de frange qui l'encerclait juste au-dessus des oreilles. Ses petits yeux étaient ronds, également, et aussi noirs que ses cheveux et son costume. Sur sa chemise blanche brillante, une cravate noire sans aucun ornement. Il ressemblait au directeur d'un funérarium pour psychopathes.

— Rares sont les gens qui jardinent à minuit, a-t-il remarqué d'une voix étonnamment mélodieuse.

Il valait mieux éviter de dire la vérité – j'aimais ratisser quand j'avais quelqu'un à qui parler, et ce soir-là, Bubba, qui ne pouvait pas venir en plein jour, m'avait tenu compagnie. Je me suis contentée d'un hochement de tête. Il n'y avait rien à redire à sa déclaration.

— Seriez-vous la femme connue sous le nom de Sookie Stackhouse? m'a demandé le grand bonhomme d'une façon qui laissait à penser qu'il s'adressait souvent à des créatures n'ayant strictement rien à voir avec des hommes et des femmes.

— Oui, monsieur, c'est moi, ai-je répondu poliment.

Ma grand-mère, Dieu ait son âme, m'a bien élevée. Mais elle n'a pas élevé une imbécile, et je n'allais sûrement pas inviter ce monsieur à entrer. Je me suis demandé pourquoi le chauffeur ne sortait pas.

— Dans ce cas, j'ai un legs pour vous.

Un « legs » impliquait que quelqu'un était mort. Il ne me restait personne à l'exception de mon frère Jason, et celui-ci était installé au *Merlotte* avec sa petite amie, Crystal. En tout cas, c'est là qu'il se trouvait lorsque j'avais quitté mon boulot de serveuse quelques heures auparavant.

Les petites créatures nocturnes avaient repris leurs activités, ayant décidé que les grosses créatures nocturnes n'allaient pas attaquer.

— De qui, ce legs?

Ce qui me différencie des autres gens, c'est mon don de télépathie. Les vampires, dont les esprits ne sont que des vides silencieux dans un monde que la cacophonie des cerveaux humains me rend très bruyant, font des compagnons très reposants. Raison pour laquelle j'avais apprécié le bavardage de Bubba. Mais il me fallait maintenant faire monter mon don en puissance: je n'avais pas affaire à une petite visite de courtoisie. J'ai ouvert mon esprit à mon visiteur, et essayé de jeter un œil à l'intérieur de sa tête, pendant que la syntaxe de ma question le faisait grimacer. Mais en lieu et place d'un flot d'idées et d'images (l'émission habituelle des humains), ses pensées me parvenaient sous forme de salves parasites. De quelque sorte qu'elle soit, j'avais affaire à une créature surnaturelle.

— Un legs de qui? ai-je rectifié, et il m'a souri.

Ses dents étaient très pointues.

— Vous souvenez-vous de votre cousine Hadley?

Rien n'aurait pu me surprendre davantage que cette question. J'ai appuyé le râteau contre le mimosa, puis secoué le sac à ordures en plastique

que nous avions déjà rempli avec Bubba. Avant de dire quoi que ce soit, je l'ai fermé à l'aide de son lien. J'espérais simplement que je n'allais pas m'étrangler en répondant :

— Oui, tout à fait.

Ma voix est sortie un peu rauque, mais claire.

Hadley Delahoussaye, mon unique cousine, avait disparu dans les abîmes de la drogue et de la prostitution des années auparavant. Dans mon album, j'avais sa photo de lycée. La dernière qui avait été prise d'elle, car cette année-là, elle s'était enfuie à La Nouvelle-Orléans pour gagner sa vie avec sa tête et son corps. Sa mère, ma tante Linda, était morte d'un cancer deux ans après son départ.

— Hadley est toujours en vie ? ai-je demandé, à peine capable d'articuler.

— Hélas, non, a répondu l'homme en nettoyant d'un air absent ses lunettes à monture noire à l'aide d'un mouchoir blanc tout propre.

Ses chaussures noires brillaient comme des miroirs.

— Votre cousine Hadley est morte, je dois l'avouer.

Il semblait se délecter à ses paroles. L'homme – ou quoi qu'il fût d'autre – appréciait l'écho de sa propre voix.

Au-delà de la méfiance et de la confusion que tout cet épisode bizarre m'inspirait, j'ai eu conscience d'un vif pincement de chagrin. Enfant, Hadley était très amusante, et, bien entendu, nous avions passé beaucoup de temps ensemble. Étant une gamine étrange, Hadley et mon frère Jason avaient été quasiment les seuls enfants avec lesquels j'avais pu jouer. La situation avait changé lorsque Hadley avait atteint la puberté, mais je conservais de bons souvenirs de ma cousine.

70

— Que lui est-il arrivé ? ai-je demandé en m'efforçant de garder un ton égal, sans y parvenir.

— Elle s'est trouvée mêlée à un regrettable incident.

L'euphémisme désignait un meurtre de vampire. Lorsque l'expression apparaissait dans les journaux, elle signifiait normalement qu'un vampire incapable de réfréner son goût du sang avait attaqué un humain. J'étais horrifiée :

— Elle a été tuée par un vampire ?

— Euh, non, pas exactement. Le vampire était votre cousine Hadley. Elle a été éliminée par le pieu.

L'information était si terrible et ahurissante que j'ai eu du mal à l'intégrer. J'ai levé la main pour l'empêcher de poursuivre, le temps de digérer petit à petit ce qu'il venait de m'annoncer.

— Comment vous appelez-vous, s'il vous plaît ?

— Maître Cataliades.

Je me suis répété le nom plusieurs fois, car je ne l'avais jamais entendu de ma vie. Accent tonique sur le *tal*, et *e* allongé.

— Et d'où pourriez-vous être originaire ?

— J'ai résidé de nombreuses années à La Nouvelle-Orléans.

La Nouvelle-Orléans se situait à l'autre extrémité de la Louisiane, par rapport à ma petite ville, Bon Temps. Le nord de la Louisiane est sacrément différent du sud de l'État, et sur plusieurs points essentiels : c'est le Sud profond évangélique, sans l'allant de La Nouvelle-Orléans ; c'est la grande sœur restée à la maison s'occuper de la ferme, pendant que la cadette est partie faire la fête. Mais les deux ont également un certain nombre de choses en commun : des routes défoncées, une vie politique corrompue, et beaucoup de gens, aussi bien noirs que blancs, qui vivent au seuil de la pauvreté.

— Qui vous a servi de chauffeur ? ai-je demandé sèchement en contemplant l'avant de la voiture.

— Waldo, la dame veut te voir, a lancé Maître Cataliades.

Lorsque le Waldo en question a quitté le siège du conducteur et que je l'ai aperçu, j'ai regretté d'avoir exprimé mon intérêt. Waldo était un vampire, ce que j'avais déjà déterminé intérieurement en identifiant la signature typique d'un cerveau de vampire, que je « vois » comme une sorte de négatif photographique. La plupart des vampires sont séduisants, ou bien extrêmement doués, d'une façon ou d'une autre. Lorsqu'un vampire décide de faire passer un humain de l'autre côté, naturellement, il est plus que probable qu'il va en choisir un ou une qui l'attire par sa beauté, ou bien un talent nécessaire. J'ignorais qui avait bien pu faire passer Waldo mais, à mon avis, c'était un cinglé. Ses longs cheveux blancs fins étaient quasiment de la même couleur que sa peau. Il devait mesurer un peu plus d'un mètre soixante-dix, mais il était si maigre qu'il en paraissait plus grand. Sous la lumière que j'avais installée sur le poteau électrique, ses yeux paraissaient rouges. Son visage était d'une lividité de cadavre teintée d'une nuance verdâtre, et sa peau ridée. C'était la première fois que je rencontrais un vampire qui n'avait pas été pris dans la fleur de l'âge.

— Waldo, ai-je fait avec un signe de tête, ravie du long entraînement qui me permettait d'afficher un air agréable en toutes circonstances. Je peux vous offrir quelque chose ? Je crois que j'ai du sang en bouteille. Et vous, Maître Cataliades ? Une bière ? Un soda ?

Le grand bonhomme a eu un frisson qu'il a tenté de dissimuler dans un demi-salut élégant.

72

— Pour moi, il fait beaucoup trop chaud pour un café ou de l'alcool, mais nous prendrons peut-être des rafraîchissements un peu plus tard.

La température ne devait pas dépasser les dix-sept degrés, mais j'ai remarqué qu'effectivement, Maître Cataliades transpirait.

— Pouvons-nous entrer ? a-t-il demandé.

— Non, je ne crois pas, désolée, ai-je répondu sans l'ombre d'une excuse dans la voix.

J'espérais que Bubba avait eu la présence d'esprit de foncer à travers la petite vallée qui séparait nos deux propriétés pour aller chercher mon plus proche voisin, mon ancien amant Bill Compton, plus connu des habitants de Bon Temps sous le nom de Bill le Vampire.

— Alors, nous procéderons à nos affaires ici, dans votre jardin, a répondu froidement Maître Cataliades.

Waldo et lui ont contourné la limousine. J'ai éprouvé une légère inquiétude lorsque le véhicule ne m'a plus séparé d'eux, mais ils ont gardé leurs distances.

— Miss Stackhouse, vous êtes l'unique héritière de votre cousine.

Je suis demeurée incrédule, bien qu'ayant parfaitement compris ce qu'il venait de dire.

— Pas mon frère, Jason ?

Jason et Hadley, tous deux plus âgés que moi, avaient été très copains.

— Non. Dans ce document, Hadley mentionne qu'elle a une fois demandé son aide à Jason Stackhouse alors qu'elle manquait sérieusement de fonds. Il a ignoré sa requête, elle l'ignore donc aujourd'hui.

— Quand Hadley a-t-elle été tuée ?

Je me concentrais du mieux possible pour ne pas percevoir d'images. Avec trois ans de plus que moi, Hadley était morte à vingt-neuf ans, à peine. Nous étions à l'opposé, physiquement, presque sur tous les points : j'étais blonde et solide, elle brune et mince. J'étais forte, elle fragile. J'avais les yeux bleus, ceux de Hadley étaient grands et bruns, aux cils épais ; et cet homme étrange venait de m'annoncer que ces yeux étaient clos pour toujours.

— Il y a un mois, a répondu Maître Cataliades après un moment de réflexion. Elle est morte il y a de ça un mois.

— Et ce n'est que maintenant que vous me prévenez ?

— Certaines circonstances nous en ont empêchés.

J'ai soupesé cette déclaration.

— Elle est morte à La Nouvelle-Orléans ?

— Oui. Elle était servante auprès de la Reine, a-t-il précisé, comme s'il m'annonçait qu'elle venait d'être promue associée d'un gros cabinet d'avocats, ou de réussir à acheter sa propre entreprise.

— La Reine de Louisiane ? ai-je dit avec précaution.

— Je savais que vous comprendriez ! a-t-il lancé, rayonnant. Quand je vous ai vue, je me suis dit : « Voilà une femme qui connaît ses vampires ! »

— En tout cas, moi, je suis un vampire qu'elle connaît, a jeté Bill, apparu à côté de moi de sa façon toujours aussi déconcertante.

Un éclair de mécontentement a traversé le visage de Maître Cataliades, aussi fulgurant que la foudre dans le ciel.

— Et vous êtes ? a-t-il demandé avec une politesse froide.

D'un ton qui ne présageait rien de bon, Bill a répondu :

— Je suis Bill Compton, résident de ce comté et ami de miss Stackhouse. Et comme vous, je suis également un employé de la Reine.

Celle-ci avait embauché Bill pour s'approprier la base de données informatique sur les vampires sur laquelle il travaillait. Quelque chose me disait que Maître Cataliades effectuait des missions plus personnelles. Lui avait l'air de savoir dans quels placards étaient cachés tous les squelettes, et Waldo avait l'air de celui qui les y avait fourrés.

Bubba se trouvait juste derrière Bill, et lorsqu'il est sorti de l'ombre de celui-ci, pour la première fois, j'ai vu le vampire Waldo exprimer une émotion. Il était en admiration.

— Oh, juste ciel! a lâché Maître Cataliades. C'est bien El –

— Oui, a coupé Bill en lançant aux deux étrangers un regard lourd de signification. Voici *Bubba*. Et le passé le contrarie beaucoup.

Il a attendu que les deux autres acquiescent d'un signe de tête compréhensif. Puis il s'est tourné vers moi. Son regard brun paraissait noir dans les ombres mornes projetées par l'éclairage au-dessus de nos têtes. Sa peau luisait de cette pâleur caractéristique des vampires.

— Que s'est-il passé, Sookie?

Je lui ai donné une version condensée du message de Maître Cataliades. Depuis notre rupture, à Bill et moi, provoquée par son infidélité, nous tentions de construire un autre type de relation. Il s'avérait un ami fiable, et je lui étais reconnaissante de sa présence.

— Est-ce la Reine qui a ordonné la mort d'Hadley? a-t-il demandé à mes visiteurs.

Maître Cataliades a parfaitement joué les choqués:

— Oh non! s'est-il exclamé. Sa Majesté n'aurait jamais causé la mort de quelqu'un d'aussi cher à son cœur.

OK, va pour un autre choc.

— Euh… Chère dans quel… ? À quel point ma cousine était-elle chère au cœur de la Reine ?

Je voulais être certaine d'avoir correctement interprété le sous-entendu.

Maître Cataliades m'a lancé un regard tout à fait vieux jeu :

— Elle était très attachée à Hadley.

D'accord, j'avais compris.

Chaque territoire de vampire avait un roi ou une reine, et le titre s'accompagnait du pouvoir. Mais la Reine de Louisiane jouissait d'un prestige supplémentaire, puisqu'elle siégeait à La Nouvelle-Orléans, la ville la plus populaire des États-Unis aux yeux des morts-vivants. Le tourisme vampirique représentant maintenant une partie conséquente des revenus de la ville, même les humains de La Nouvelle-Orléans prêtaient attention de façon officieuse aux souhaits et desiderata de la Reine.

— Si Hadley était une telle favorite, qui a pu être assez fou pour la tuer ?

— La Confrérie du Soleil, a répondu Waldo.

J'ai sursauté, car il était demeuré si longtemps silencieux que je m'étais convaincue qu'il ne parlerait jamais. Sa voix grinçante était aussi bizarre que son apparence.

— Vous connaissez bien la ville ?

J'ai secoué la tête. Je n'étais allée à La Nouvelle-Orléans qu'une fois dans ma vie, pour une sortie de l'école.

— Peut-être êtes-vous néanmoins familiers des cimetières baptisés Cités des Morts ?

J'ai hoché la tête, Bill a répondu « Oui », et Bubba a marmonné « Uh-huh ». Les nappes phréatiques du sud de la Louisiane affleurant trop près du sol pour permettre les enterrements sous terre, plusieurs anciens cimetières de La Nouvelle-Orléans se composaient de cryptes en surface identiques à de petites maisons blanches, décorées et sculptées dans certains cas, ce qui expliquait le surnom de Cités des Morts. Ces cimetières historiques étaient fascinants, et parfois dangereux. Des prédateurs bien vivants sont à redouter dans les Cités des Morts, et l'on recommandait aux touristes de les visiter en groupes nombreux, sans s'attarder à la tombée du jour.

— Cette nuit-là, juste après nous être levés, Hadley et moi nous sommes rendus au Cimetière Saint Louis n° 1, pour conduire un rituel, a raconté Waldo, les traits totalement inexpressifs.

L'idée que cet homme ait pu être le compagnon de ma cousine, même pour une simple excursion nocturne, paraissait renversante.

— Ils ont bondi de derrière les tombes qui nous entouraient. Les fanatiques de la Confrérie étaient armés d'objets sacrés, de pieux et d'ail – l'attirail habituel. Et assez bêtes pour s'être munis de crucifix en or.

En dépit de toutes les évidences, la Confrérie se refusait à admettre que des objets consacrés ne suffisaient pas à maîtriser tous les vampires. Ceux-ci marchaient sur les très vieux vampires, qui avaient été élevés en fervents croyants. Les vampires plus récents ne craignaient les crucifix que lorsqu'ils étaient en argent. L'argent brûle n'importe quel vampire. Oh, un crucifix de bois peut faire son effet – mais uniquement si on l'enfonce dans le cœur du vampire.

— Nous nous sommes vaillamment défendus, Hadley et moi, mais au bout du compte ils étaient trop nombreux, et ils l'ont tuée. Je m'en suis sorti avec de graves blessures à l'arme blanche.

Son visage blanchâtre exprimait davantage la désolation que le tragique.

Je me suis efforcée de ne pas penser à Tante Linda, et à ce qu'elle aurait dit de la transformation de sa fille en vampire. Les circonstances de sa mort l'auraient choquée: un assassinat dans un cimetière célèbre dégoulinant d'ambiance gothique, en compagnie de cette créature grotesque. Évidemment, le simple fait du meurtre d'Hadley l'aurait anéantie davantage que toutes ces fioritures exotiques.

Je me sentais plus détachée. Il y avait bien longtemps que j'avais fait une croix sur Hadley. Je n'avais jamais espéré la revoir un jour, aussi disposais-je d'un peu d'espace affectif vierge pour penser à autre chose. Je me demandais encore avec tristesse pourquoi Hadley n'était pas revenue nous voir. En tant que jeune vampire, elle aurait pu redouter une manifestation intempestive de son goût du sang, ou bien d'éprouver le désir de mordre de façon déplacée. Le changement dans sa propre nature aurait pu la bouleverser; Bill n'avait cessé de me répéter que les vampires n'avaient plus rien d'humain, et qu'ils devenaient sensibles à d'autres choses. Les anciens vampires avaient été irrévocablement modelés par leurs appétits et leur goût pour le secret.

Mais Hadley n'avait jamais eu à fonctionner suivant ces règles-là. Elle était devenue vampire après la Grande Révélation, lorsqu'ils avaient révélé leur présence au monde.

Et la Hadley postpubère, celle que j'appréciais le moins, aurait préféré mourir plutôt que d'être vue en compagnie de quelqu'un comme Waldo. Hadley avait été très populaire au lycée, et suffisamment humaine pour succomber à tous les stéréotypes adolescents. Elle s'était montrée odieuse avec les gamins qui n'étaient pas populaires, ou les avait tout bonnement ignorés. Son existence avait été complètement absorbée par ses vêtements, son maquillage, et sa propre jolie petite personne.

Elle avait été pom-pom girl, avant d'adopter le style gothique.

Uniquement pour gagner du temps, j'ai demandé à Waldo :

— Vous vous trouviez au cimetière pour accomplir un rituel, avez-vous dit ? Lequel ? Hadley n'était sûrement pas sorcière, par-dessus le marché.

J'avais rencontré une fois une sorcière loup-garou, mais jamais un vampire jeteur de sorts.

— Il existe certaines traditions au sein des vampires de La Nouvelle-Orléans, est intervenu Maître Cataliades d'un ton prudent. L'une de celles-ci veut que le sang des morts puisse réveiller les morts, au moins temporairement. Pour faire la conversation, vous comprenez ?

Maître Cataliades n'était certes pas du genre à perdre son temps en paroles inutiles. Chacune des phrases qui sortaient de sa bouche me demandait réflexion.

Une fois cette dernière bombe digérée, je lui ai demandé :

— Hadley voulait s'entretenir avec un mort ?

Waldo a de nouveau mis son grain de sel :

— Oui, elle voulait parler à Marie Laveau.

— La reine vaudou ? Pourquoi ?

Impossible de vivre en Louisiane et d'ignorer la légende de Marie Laveau, une femme dont les pouvoirs magiques avaient fasciné les populations noires et blanches, à une époque où les femmes noires étaient totalement dépourvues de pouvoir.

— Hadley pensait qu'elle lui était apparentée, a expliqué Waldo avec un soupçon de moquerie.

D'accord, là, je savais qu'il avait inventé ça.

— Peuh ! Marie Laveau était afro-américaine, et ma famille est blanche, ai-je souligné.

— Ce serait du côté de son père, a-t-il répondu calmement.

Le mari de Tante Linda, Carey Delahoussaye, était originaire de La Nouvelle-Orléans, et d'ascendance française. Sa famille était là depuis de nombreuses générations, ce dont il s'était vanté tant et plus, jusqu'à ce que ma famille en ait soupé de son orgueil. Je me suis demandé si l'Oncle Carey avait réalisé que quelque part dans le passé sa lignée créole s'était enrichie d'un peu d'ADN afro-américain. Je ne conservais de lui que des souvenirs d'enfance, mais je supposais que ce détail serait resté son secret le mieux gardé.

Hadley, pour sa part, aurait sans aucun doute pensé que descendre de la célèbre Marie Laveau était super cool. J'ai donc accordé un peu plus de crédibilité à l'histoire de Waldo. Où Hadley avait-elle pu dénicher une telle information, je n'en avais pas la moindre idée. Évidemment, je ne l'imaginais pas non plus appréciant les femmes, ce qui de toute évidence avait été son choix. Ma cousine Hadley, la pom-pom girl, était devenue une vampire lesbienne vaudou. Qui l'eût cru ?

Je me sentais noyée sous les informations que je n'avais pas eu le temps d'absorber, mais je tenais à entendre l'histoire dans son entier, aussi ai-je fait signe au vampire émacié de poursuivre.

— Nous avons tracé trois X sur la tombe, a expliqué Waldo. Comme il est d'usage. Les adeptes du vaudou sont persuadés qu'ainsi, leur vœu sera exaucé. Puis Hadley s'est entaillée, a laissé le sang goutter sur la pierre, et a prononcé les mots magiques.

— Abracadabra, s'il vous plaît, et merci, ai-je soufflé automatiquement.

— Vous ne devriez pas vous moquer ! a fulminé Waldo en me foudroyant de ses yeux cerclés de rouge.

Hormis quelques exceptions notables, les vampires ne sont pas connus pour leur sens de l'humour, et Waldo était incontestablement un type sérieux.

— Bill, c'est vraiment une tradition ?

Je me fichais pas mal que les deux hommes de La Nouvelle-Orléans sachent que je ne leur accordais aucune confiance.

— Oui. Moi-même, je n'ai jamais essayé, parce que je pense que les morts doivent être laissés en paix. Mais j'ai assisté au rituel.

— Et ça marche ? ai-je demandé, surprise.

— Oui, quelquefois.

Je me suis tournée vers Waldo :

— Ça a marché pour Hadley ?

— Non, a-t-il sifflé, le regard furieux. Ses intentions n'étaient pas assez pures.

— Et ces fanatiques, ils étaient juste là cachés au milieu des tombes, à attendre de vous sauter dessus ?

— Oui, je vous l'ai déjà dit.

— Et vous, avec votre ouïe et votre flair de vampire, vous n'avez pas senti qu'il y avait des gens dans le cimetière autour de vous ?

Bubba a remué sur ma gauche. Même un vampire aussi borné que lui, recruté trop hâtivement, avait compris le sens de ma question.

Waldo m'a répondu d'un ton hautain :

— Je savais peut-être qu'il y avait des gens, mais la nuit, ces cimetières sont très appréciés des criminels et des putains. Je n'ai pas opéré de distinction entre tous ceux qui se montraient bruyants.

— Waldo et Hadley étaient tous deux des favoris de la Reine, est intervenu Maître Cataliades d'un ton réprobateur suggérant que tout favori était au-dessus de tout soupçon.

Mais la signification de ses paroles était tout autre. Je l'ai contemplé d'un air pensif. Au même moment, j'ai senti Bill changer de place à côté de moi. Nous n'étions pas des âmes sœurs, je suppose, puisque notre relation avait capoté, mais de temps en temps nos pensées semblaient identiques. C'était là un de ces instants. Pour une fois, j'aurais aimé lire dans son esprit – même si, lorsque nous étions amants, il m'avait fortement recommandé de ne pas le faire. Quand les affaires de cœur sont en jeu, les télépathes n'ont pas la vie facile. Maître Cataliades était le seul de cette assemblée dont je pouvais scruter le cerveau, et il n'était pas vraiment humain.

J'ai failli l'interroger sur sa nature, mais la question semblait de mauvais goût. Au lieu de cela, j'ai demandé à Bubba de sortir quelques sièges de jardin pliants, que nous puissions nous installer. En attendant, je suis rentrée dans la maison réchauffer du TrueBlood pour les trois vampires, et j'ai rafraîchi un Mountain Dew avec des glaçons pour Maître Cataliades, qui s'est prétendu ravi.

Debout devant le micro-ondes, que je fixais comme s'il s'était agi d'une sorte d'oracle, l'idée m'a traversé l'esprit de fermer la porte à clé et de tous les laisser agir à leur guise. La soirée me paraissait mal partie, et j'ai été tentée de la laisser se dérouler sans moi. Mais Hadley était ma cousine. Sur un coup de tête, j'ai décroché sa photo du mur pour l'examiner de plus près.

Toutes les photographies que ma grand-mère avait suspendues étaient encore là. En dépit de sa disparition, je continuais de considérer cette maison comme la sienne. La première représentait

Hadley à six ans, avec une seule dent de devant, brandissant un grand dessin de dragon. Je l'ai remise à côté de celle de Hadley à dix ans, maigrichonne avec sa natte, nous entourant de ses bras, Jason et moi. À côté se trouvait le cliché pris par le journaliste du journal paroissial, lorsque Hadley avait été couronnée Miss Teen Bon Temps. À quinze ans, elle rayonnait de bonheur dans sa robe à sequins blanche de location, une couronne étincelante sur la tête, un bouquet de fleurs dans les bras. La photo la plus récente avait été prise au cours de sa dernière année de lycée. Hadley avait alors commencé à se droguer, et elle était entièrement gothique : yeux outrageusement maquillés, cheveux noirs, lèvres cramoisies. L'Oncle Carey avait quitté Tante Linda quelques années avant cette nouvelle incarnation, pour retourner auprès de sa fière famille, à La Nouvelle-Orléans. Et une fois sa fille partie, elle aussi, Tante Linda avait commencé à se sentir mal. Quelques mois après la fugue de Hadley, nous avions fini par persuader la sœur de mon père d'aller voir un médecin, qui lui avait trouvé un cancer.

Je m'étais souvent demandé depuis si Hadley avait jamais appris que sa mère était malade. À mes yeux, cela faisait une différence. Ne pas revenir alors qu'on est au courant était une chose. Mais ne jamais avoir su en était une autre. Aujourd'hui que je venais d'apprendre que Hadley était passée de l'autre côté pour être vampire, une troisième option s'offrait à moi : elle avait peut-être appris la maladie de sa mère, mais s'en fichait.

Je me suis interrogée : qui avait dit à Hadley qu'elle descendait peut-être de Marie Laveau ? Sans doute quelqu'un qui avait effectué suffisamment de recherches pour paraître convaincant, et qui avait assez observé Hadley pour savoir à quel point elle apprécierait le piquant de ce lien avec une femme aussi célèbre.

J'ai sorti le plateau avec les boissons, et nous nous sommes tous assis en cercle dans mon vieux mobilier de jardin. Quelle étrange assemblée : Maître Cataliades, une télépathe et trois vampires – bien que l'un d'entre eux ait eu l'esprit plus embrouillé qu'aucun vampire digne de ce nom.

Une fois assise, Maître Cataliades m'a passé une liasse de papiers que je me suis efforcée de déchiffrer. L'éclairage extérieur suffisait pour ratisser, mais pas vraiment pour lire. Les yeux de Bill étant vingt fois meilleurs que les miens, je lui ai passé les papiers.

— Ta cousine t'a laissé de l'argent et le contenu de son appartement. Et tu es son exécutrice testamentaire.

— D'accord, ai-je fait avec un haussement d'épaules.

Je savais que Hadley ne devait pas posséder grand-chose. Les vampires sont assez doués pour amasser des petits pécules, mais Hadley n'avait été vampire que très peu de temps.

Maître Cataliades a haussé ses sourcils quasi invisibles :

— Vous n'avez pas l'air très excitée.

— La façon dont Hadley est morte m'intéresse davantage.

Waldo a pris l'air offusqué :

— Je vous ai décrit les circonstances. Vous voulez un récit du combat coup par coup ? Je vous assure que ce fut très désagréable.

Je l'ai observé un bon moment.

— Que vous est-il arrivé ?

C'était très grossier, de demander à quelqu'un comment diable il s'était retrouvé avec un air aussi bizarre, mais le bon sens me soufflait que je devais en apprendre davantage. J'avais une obligation envers ma cousine, à l'exclusion de tout héritage qu'elle ait pu me laisser. Peut-être était-ce d'ailleurs pour cela que Hadley m'avait couchée sur son testament. Elle savait que je poserais des questions, mais que Dieu garde mon frère, lui n'en ferait rien.

Un éclair de rage a traversé le visage de Waldo, puis, comme s'il avait passé une sorte de gomme à effacer les émotions, sa peau aussi blanche que du papier s'est détendue, ainsi que son regard.

— Quand j'étais humain, j'étais albinos, a-t-il expliqué avec raideur.

J'ai éprouvé le réflexe d'horreur de la personne qui s'est montrée curieuse d'une infirmité de façon impardonnable. J'allais présenter mes excuses lorsque Maître Cataliades est de nouveau intervenu :

— Et bien entendu, a-t-il soufflé d'un ton doucereux, il a aussi été puni par la Reine.

Cette fois-ci, Waldo n'a pas maîtrisé la fureur de son regard.

— Oui, a-t-il reconnu. La Reine m'a immergé dans une cuve pendant quelques années.

— Une cuve de quoi ?

J'étais complètement perdue.

— Une solution saline, a expliqué Bill très doucement. J'ai entendu parler de cette punition. C'est pour ça qu'il est ridé, comme tu peux le voir.

Waldo a fait semblant de ne pas entendre l'aparté de Bill, mais Bubba a ouvert la bouche :

— Ça, mon vieux, vous êtes sacrément ridé, mais vous faites pas de bile, les nanas adorent un type qui est pas comme les autres.

Bubba était un vampire gentil et bien intentionné.

J'ai essayé de me représenter dans une cuve d'eau de mer pendant des années d'affilée, puis je me suis efforcée de m'ôter ça de l'esprit. De quoi Waldo pouvait-il être coupable pour avoir mérité un tel châtiment?

— Et vous étiez un favori?

— J'ai connu cet honneur, a répondu Waldo avec une certaine dignité.

Eh bien, pourvu que je ne connaisse jamais un tel honneur.

— Et Hadley aussi?

Un muscle a tressauté dans la mâchoire du vampire, mais il est demeuré placide:

— Pour un temps.

— L'enthousiasme de Hadley et ses manières enfantines ravissaient la Reine, a expliqué Maître Cataliades. Mais la jeune femme appartenait à une longue liste de favoris. Un jour ou l'autre, la Reine aurait dirigé ses faveurs ailleurs, et Hadley aurait été obligée de se tailler une autre place dans son entourage.

Waldo a approuvé, l'air content:

— C'est comme cela que ça se passe.

Pourquoi étais-je censée m'intéresser à ça, je l'ignorais. Bill a eu un léger mouvement qu'il a instantanément maîtrisé, mais que j'ai surpris du coin de l'œil. J'ai compris qu'il voulait m'empêcher de réagir. Peuh! De toute façon, je n'en avais pas l'intention.

— Bien entendu, a poursuivi Maître Cataliades, votre cousine était un peu différente de ses prédécesseurs. Ce n'est pas ton avis, Waldo?

— Non. Un jour ou l'autre, il se serait produit la même chose.

Il s'est semble-t-il mordu la lèvre pour s'empêcher de continuer: pas très intelligent, pour un vampire. Une goutte de sang écarlate a perlé lentement.

— La Reine se serait lassée d'elle, a-t-il poursuivi. J'en suis sûr. Ce qui l'attirait, c'était uniquement sa jeunesse, le fait qu'il s'agissait d'une de ces jeunes vampires qui n'ont jamais connu les ténèbres.

Quand vous rentrerez à La Nouvelle-Orléans, dites-le à notre Reine, Cataliades. J'aurais pu en discuter avec vous, si vous n'aviez pas gardé la vitre intérieure de séparation fermée pendant tout le trajet. Inutile de me fuir comme un lépreux.

— Je ne tenais pas à votre compagnie, a rétorqué Maître Cataliades avec un haussement d'épaules. Nous ne saurons donc jamais combien de temps Hadley aurait régné en tant que favorite, n'est-ce pas, Waldo ?

Il se dessinait là quelque chose, et Maître Cataliades, le compagnon de Waldo, nous poussait incontestablement dans cette direction. Pourquoi ? Aucune idée, mais j'allais suivre cette piste.

— Hadley était vraiment très jolie. La Reine lui aurait peut-être accordé une position définitive, ai-je suggéré.

— Le marché est encombré de jolies filles, a grincé Waldo. Imbéciles d'humains ! Ils ne savent pas ce que notre Reine peut leur infliger.

— Quand elle le désire, a murmuré Bill. Si cette Hadley avait un truc pour enchanter la Reine, si elle avait autant de charme que Sookie, rien ne dit qu'elle ne serait pas restée une heureuse favorite pendant des années.

— Et vous, Waldo, vous auriez été éjecté, sur le cul, ai-je conclu, très prosaïque. Dites donc, ces fanatiques, au cimetière, ils existaient vraiment ? Ou il n'y en avait qu'un, maigrichon, livide et ridé, jaloux et prêt à tout ?

D'un seul coup, tout le monde s'est retrouvé debout, sauf Maître Cataliades, qui fouillait dans sa mallette.

Devant moi, Waldo s'est mué en une créature de moins en moins humaine. Ses canines se sont allongées, ses yeux ont jeté des lueurs rouges. Il est devenu encore plus mince, son corps se repliant sur lui-même. À mes côtés, Bill et Bubba aussi se sont transformés. Quand ils étaient en colère, je ne tenais pas à les regarder. Le changement était encore plus difficilement supportable quand il s'agissait de mes amis que de mes ennemis. Le mode « bataille rangée » est tout simplement effrayant.

— Vous ne pouvez pas accuser un serviteur de la Reine ! a jeté Waldo avec un véritable sifflement.

Maître Cataliades s'est alors montré plein de surprises, ce dont je n'avais jamais douté. Agile et rapide, il a bondi de sa chaise longue, projetant autour de la tête du vampire un lasso d'argent dont la circonférence était assez grande pour lui encercler les épaules. Et avec une élégance surprenante, il l'a resserré au moment critique, paralysant les bras de Waldo le long de son corps.

J'ai cru que celui-ci allait devenir fou furieux, mais, à mon étonnement, il s'est tenu tranquille.

— Pour cela, vous serez puni de mort, a-t-il glapi au grand homme rondouillard, qui lui a souri.

— Je ne crois pas. Tenez, miss Stackhouse !

Il a jeté quelque chose dans ma direction, que la main de Bill a intercepté dans un mouvement tellement vif que je n'ai pas eu le temps de l'entrevoir. Tous les deux, nous avons fixé l'objet dans la main de Bill. Pointu, ciré, en bois : un pieu de bois dur.

— Qu'est-ce que c'est que cette histoire ? ai-je demandé à Maître Cataliades, qui se dirigeait vers la longue limousine noire.

— Ma chère miss Stackhouse, la Reine tenait à ce que le plaisir vous revienne.

Waldo, qui n'avait cessé de foudroyer toute l'assistance d'un regard plein de défi, a paru se ratatiner aux paroles de Maître Cataliades.

— Elle sait.

« Le cœur brisé », c'est la seule façon dont je puisse décrire le ton du vampire albinos. Un frisson m'a parcourue. Il aimait sa Reine, d'un amour véritable.

— Oui, a dit Maître Cataliades presque avec douceur. Elle a immédiatement envoyé Valentine et Charity au cimetière, quand tu as déboulé avec la nouvelle. Sur les restes de Hadley, elles n'ont trouvé aucune trace d'une agression humaine. Uniquement ton odeur, Waldo.

Celui-ci a presque chuchoté :

— C'est elle qui m'a envoyé ici avec vous.

— Notre Reine tenait à ce que la parente de Hadley dispose du droit d'exécution.

Je me suis rapprochée de Waldo, aussi près que possible. L'argent l'avait affaibli, mais j'éprouvais le sentiment que si la chaîne avait été d'un métal toléré par le vampire, il n'aurait pas non plus cherché à lutter. Waldo avait perdu une partie de son énergie, même si, lorsque j'ai placé l'extrémité du pieu sur son cœur, sa lèvre supérieure s'est retroussée pour découvrir ses canines. J'ai pensé à Hadley : si elle s'était trouvée à ma place, aurait-elle été capable d'accomplir ça ?

— Vous pouvez conduire la limousine, Maître Cataliades ?

— Tout à fait, madame.

— Vous pouvez rentrer tout seul à La Nouvelle-Orléans ?

— La chose a toujours été dans mes intentions.

J'ai appuyé sur le pieu, jusqu'à sentir que je lui faisais mal. Il avait fermé les yeux. J'avais déjà tué un vampire, mais pour nous sauver, Bill et moi. Waldo était une créature pitoyable, sans rien de romantique ou de spectaculaire. Il n'était que méchant. Si l'occasion s'y prêtait, j'étais bien certaine qu'il pouvait accomplir des ravages, et j'étais également certaine qu'il avait tué ma cousine Hadley.

— Je vais le faire à ta place, Sookie, a dit Bill d'une voix calme et froide, comme toujours, et sa main sur mon bras était fraîche.

— Je peux aider, a proposé Bubba. Miss Sookie, vous le feriez pour moi.

De façon tout à fait inattendue, Waldo a craché :

— Votre cousine était une salope et une pute !

J'ai soutenu son regard rouge.

— Je n'en doute pas. Je pense que je ne peux tout simplement pas vous tuer, ai-je déclaré tandis que ma main, celle qui tenait le pieu, est retombée.

— Vous devez me tuer, a-t-il rétorqué avec une certitude arrogante. La Reine m'a envoyé ici pour cette raison.

— Eh bien, je vais devoir vous réexpédier direct à la Reine. J'en suis incapable.

— Demandez donc à votre maquereau, il ne rêve que de ça.

Bill se vampirisait à la vitesse de l'éclair, et il m'a retiré le pieu de la main.

— Bill, il essaie le coup du suicide par flic interposé !

Il m'a regardée d'un air perplexe, de même que Bubba. Le visage de Maître Cataliades demeurait indéchiffrable.

— Il tente de nous mettre hors de nous, de nous rendre suffisamment en colère ou effrayés pour le tuer, car il ne peut pas se suicider, ai-je expliqué. Il sait que la Reine lui infligera bien pire que tout ce que je pourrais faire, et il ne se trompe pas.

— La Reine voulait vous offrir le cadeau de la vengeance, a dit Maître Cataliades. Vous n'en voulez pas ? Elle ne sera peut-être pas très contente, si vous lui renvoyez Waldo.

— Mais c'est son problème à elle, non ?

Bill a souligné discrètement :

— Je crois que c'est vraiment *ton* problème, Sookie.

— D'accord, je viens de me faire rouler. Vous…

Je me suis interrompue. Sookie, ne te conduis pas comme une imbécile.

— Mr Cataliades, vous avez eu l'amabilité d'amener Waldo jusqu'ici, et vous m'avez très intelligemment guidée sur le chemin de la vérité, ai-je dit avant de prendre une profonde inspiration et de réfléchir. Je vous suis reconnaissante d'avoir apporté les documents juridiques, que j'examinerai à un moment plus calme. (J'avais tout passé en revue, me semblait-il.) Maintenant, si vous voulez bien ouvrir le coffre, je vais demander à Bill et à Bubba de le flanquer dedans, ai-je conclu avec un signe de tête en direction du vampire réduit à l'impuissance, qui se tenait sans rien dire à un mètre à peine.

À cet instant, alors que nous pensions tous à autre chose, Waldo s'est jeté sur moi, les mâchoires ouvertes tel un serpent, les canines complètement déployées. Je me suis projetée en arrière, tout en sachant que ce ne serait pas suffisant. Ces canines allaient me déchiqueter la gorge, et j'allais me vider de mon sang ici, dans mon propre jardin. Mais l'argent n'avait aucune prise sur Bubba et Bill, et avec une vitesse proprement terrifiante ils ont agrippé le vieux vampire, qu'ils ont balancé au sol. Plus rapide que l'éclair, le bras de Bill s'est élevé, puis abattu, et les yeux rouges de Waldo ont contemplé le pieu enfoncé dans sa poitrine avec une profonde satisfaction. Dans la seconde, ses yeux se sont enfoncés, et son corps long et maigre a entamé son processus de désintégration. Pas besoin d'enterrer un vampire définitivement mort.

Nous sommes tous restés pétrifiés un bon moment : Maître Cataliades debout, moi par terre assise sur mes fesses, Bubba et Bill à genoux à côté de ce qui avait été Waldo.

Puis la portière de la limousine s'est ouverte, et avant que Maître Cataliades ait pu reprendre ses esprits pour l'aider, la Reine de Louisiane est descendue de la voiture.

Elle était très belle, bien sûr, mais pas dans le genre princesse de conte de fées. Je ne savais pas à quoi je m'attendais, mais pas à ça, en tout cas. Bill et Bubba se sont remis debout avant de s'incliner en une profonde révérence, et moi, je lui ai jeté un sacré coup d'œil. Elle portait un tailleur bleu nuit très coûteux et des talons hauts. Sa chevelure était d'un brun roux intense, son teint laiteux, bien entendu, mais elle avait de grands yeux inclinés presque de la même nuance que ses cheveux. Elle portait les ongles vernis de rouge, ce qui d'une certaine manière, paraissait très étrange. Elle n'arborait aucun bijou.

Je savais maintenant pourquoi Maître Cataliades avait maintenu relevée la vitre de séparation pendant leur voyage. Et j'étais bien certaine que la Reine disposait de moyens de dissimuler sa présence aussi bien à la vue qu'aux autres sens de Waldo.

— Bonjour, ai-je dit d'un ton mal assuré. Je suis…

— Je sais qui vous êtes, a-t-elle coupé avec un léger accent, peut-être français. Bill. Bubba.

D'aaccoord… Nous n'allions pas nous perdre en mondanités. J'ai lâché un petit soupir offusqué et je n'ai plus moufté. Inutile de parler tant qu'elle n'avait pas expliqué sa présence. Bubba et Bill se tenaient bien droits, le premier souriant, l'autre pas.

La Reine m'a examinée des pieds à la tête, d'une façon que j'ai jugée carrément grossière. Sa qualité de reine impliquait qu'elle était une ancienne vampire, et les plus vieux, ceux qui avaient grimpé les échelons du pouvoir dans l'infrastructure vampire, comptaient parmi les plus effrayants. Il y avait si longtemps qu'elle n'était plus humaine qu'il se pouvait qu'elle n'abrite plus aucune parcelle d'humanité.

— Je ne vois vraiment pas ce qu'on lui trouve, a-t-elle décrété avec un haussement d'épaules.

Je n'ai pas pu empêcher mes lèvres de s'écarter, et un sourire de gagner mon visage. J'ai tenté de le dissimuler derrière ma main, et la Reine m'a regardée d'un air narquois.

— Elle sourit quand elle est nerveuse, a expliqué Bill.

Vrai, mais ce n'était pas la raison pour laquelle je souriais à cet instant.

— Vous alliez me renvoyer Waldo, pour que je le torture et le tue, m'a dit la Reine, sans que je puisse deviner à son expression si elle approuvait ou pas, si elle me trouvait intelligente ou idiote.

— Oui.

La meilleure réponse était définitivement la plus courte.

— Mais il vous a forcé la main.

— Uh-huh.

— Il me craignait trop pour prendre le risque de rentrer à La Nouvelle-Orléans avec Maître Cataliades.

— Oui.

Je commençais à bien maîtriser les réponses en un mot.

— Je me demande si vous avez manigancé tout cela.

« Oui » n'était pas la bonne réponse à cette question-là. J'ai gardé le silence.

— Je le découvrirai, m'a-t-elle assuré avec certitude. Nous nous retrouverons, Sookie Stackhouse. J'aimais beaucoup votre cousine, mais elle s'est montrée suffisamment imprudente pour se rendre seule dans un cimetière avec son pire ennemi. Elle comptait beaucoup trop sur le pouvoir de mon nom pour la protéger.

Trop submergée de curiosité pour laisser la question sans réponse, je n'ai pu m'empêcher de l'interroger :

— Waldo vous a-t-il dit si Marie Laveau s'était vraiment réveillée ?

Elle regagnait la voiture, et s'est arrêtée, un pied à l'intérieur de la limousine, l'autre dehors. N'importe qui aurait eu l'air empoté, mais pas la Reine de Louisiane.

— Intéressant. Non, il se trouve qu'il ne me l'a pas dit. Bill et vous pourrez renouveler l'expérience, lorsque vous viendrez à La Nouvelle-Orléans.

J'ai failli souligner que, contrairement à Hadley, je n'étais pas morte, mais j'ai eu le bon sens de la fermer. Elle aurait pu me commander de devenir vampire, et je redoutais plus que tout que Bill et Bubba ne me maintiennent alors pour me vampiriser. L'idée était trop insupportable, et je me suis contentée de lui sourire.

Une fois la Reine installée dans la limousine, Maître Cataliades s'est incliné devant moi.

— Miss Stackhouse, ce fut un plaisir. Si vous avez des questions à propos de la succession de votre cousine, appelez-moi au numéro de téléphone sur ma carte de visite, jointe aux papiers.

— Merci.

Je préférais ne pas en dire plus. Les réponses monosyllabiques, ça ne peut pas faire de mal. Waldo était presque totalement désintégré, mais il resterait des bouts de lui dans mon jardin pendant un moment. Beurk. Si l'on me posait la question, je pourrais répondre: «Où se trouve Waldo? Éparpillé dans mon jardin!»

La soirée avait fini par avoir raison de moi. La limousine a quitté les lieux dans un ronronnement de moteur. Bill a posé sa main sur ma joue, mais je ne me suis pas appuyée dessus. Je lui étais reconnaissante de son intervention, et je le lui ai dit.

— Tu ne devrais pas être en danger, a-t-il remarqué.

Bill avait l'habitude de s'exprimer d'une façon ambiguë et déconcertante. Ses yeux sombres formaient deux puits insondables. Jamais je ne parviendrais à le comprendre.

— Je me suis bien débrouillé, miss Sookie? a demandé Bubba.

— Tu as été parfait. Tu as fait exactement ce qu'il fallait sans même que j'aie besoin de te le dire.

— Vous saviez depuis le début qu'elle était dans la limousine, hein, miss Sookie?

Bill m'a regardée, surpris, mais j'ai évité ses yeux.

— Oui, Bubba, lui ai-je répondu avec douceur. Je le savais. Avant que Waldo ne sorte, j'ai écouté avec mon sixième sens, et j'ai trouvé deux espaces vides dans la limousine.

Ce qui signifiait deux vampires. Je savais que Cataliades était accompagné, à l'arrière de la limousine.

— Mais tu as fait comme si elle n'était pas là, pendant tout ce temps?

Bill semblait avoir du mal à comprendre. Croyait-il donc que je n'avais rien appris, depuis notre rencontre?

— Tu savais à l'avance que Waldo allait te sauter dessus?

— Je pensais bien qu'il le ferait. Il ne voulait pas se retrouver à la merci de la Reine.

Bill m'a prise par les bras, et m'a regardée :

— Donc, depuis le début, tu voulais être sûre qu'il allait mourir, ou bien tu essayais de le renvoyer auprès de la Reine ?

— Oui.

Les réponses en un mot, ça ne fait pas de mal.

DÉFAUT D'ASSURANCES

Nous étions en train de nous vernir réciproquement les orteils, avec Amelia Broadway, lorsque mon agent d'assurances a frappé à la porte d'entrée. J'avais choisi *Roses glacées*, et Amelia avait opté pour *Rouge bordeaux passion*. Elle avait terminé mes pieds, et il me restait trois orteils de son pied gauche, quand Greg Aubert nous a interrompues.

Amelia vivait avec moi depuis quelques mois, et partager ma vieille maison avec quelqu'un était très agréable. Amelia est une sorcière de La Nouvelle-Orléans, venue résider chez moi à cause d'un problème de magie qui avait mal tourné, et dont elle ne tenait pas à ce que ses copines sorcières de la ville soient au courant. Et puis, depuis Katrina, elle n'avait plus vraiment beaucoup d'attaches là-bas, en tout cas pour le moment. Ma petite ville natale de Bon Temps débordait de réfugiés.

Après un incendie qui avait provoqué beaucoup de dégâts chez moi, j'avais eu affaire à Greg Aubert. Mais pour autant que je sache, je n'avais à cet instant pas besoin d'assurances, et j'avoue que j'étais assez curieuse de l'objet de sa visite.

Amelia avait levé un œil sur Greg, dont les cheveux blond-roux et les lunettes sans monture n'avaient guère éveillé son intérêt. Elle était donc retournée au vernissage de son petit orteil, pendant que je poussais Greg vers le fauteuil à oreillettes.

— Greg, voici mon amie Amelia Broadway. Amelia, voici Greg Aubert.

Amelia a relevé la tête avec un peu plus d'intérêt. Je lui avais raconté que Greg était en quelque sorte un de ses collègues. La mère de Greg avait été sorcière, et l'utilisation de son art lui avait beaucoup servi à protéger ses clients. Pas une voiture n'était assurée dans l'agence de Greg sans qu'un sort y ait été jeté. J'étais la seule personne de Bon Temps au courant de son petit talent. La sorcellerie n'aurait pas été très bien vue dans notre petite ville dévote. Pour donner le change, Greg fournissait toujours à ses clients une patte de lapin porte-bonheur à mettre chez eux ou dans leur nouvelle voiture.

Après avoir refusé l'invitation rituelle à boire un thé glacé, de l'eau ou du Coca, Greg s'est installé sur le bord du fauteuil, pendant que je regagnais ma place à une extrémité du canapé, Amelia assise à l'autre bout.

— En arrivant en voiture, j'ai senti les baguettes magiques, lui a dit Greg. Très impressionnant, a-t-il ajouté tout en déployant des efforts surhumains pour détourner le regard de mon débardeur.

Si j'avais su que nous allions avoir de la compagnie, j'aurais mis un soutien-gorge.

Amelia a fait mine de prendre un air indifférent qu'elle aurait sûrement accompagné d'un petit haussement d'épaules si elle n'avait pas eu le flacon de vernis à ongles à la main. Bronzée, athlétique, les cheveux bruns brillants courts, Amelia n'est pas seulement enchantée de son physique, mais également très fière de ses capacités en matière de sorcellerie.

— Oh, rien d'extraordinaire, a-t-elle répondu avec une modestie peu convaincante, mais en lui adressant néanmoins un sourire.

— Que puis-je pour vous, Greg ?

Avant de partir travailler dans une heure, je devais me changer et me coiffer.

— J'ai besoin de votre aide, a-t-il déclaré en levant brutalement les yeux sur mon visage.

Avec Greg, pas besoin de tourner autour du pot.

— D'accord, comment ?

Moi aussi, je pouvais me montrer directe.

— Quelqu'un sabote mon agence, a-t-il jeté d'un ton véhément.

J'ai compris qu'il n'était pas loin d'une grosse dépression nerveuse. Son esprit n'était pas aussi ouvert que celui d'Amelia – je pouvais lire les pensées de celle-ci aussi clairement que si elle les avait exprimées à haute voix – mais j'étais capable de percevoir son fonctionnement intérieur.

— Racontez-nous ça, lui ai-je demandé, car Amelia, elle, ne pouvait pas déchiffrer l'esprit de Greg.

— Oh, merci ! a-t-il fait comme si je venais d'accepter d'agir.

J'ai ouvert la bouche pour le détromper, mais il s'est lancé :

— La semaine dernière, en arrivant au bureau, j'ai découvert que quelqu'un avait fouillé dans les dossiers.

— Marge Barker travaille toujours avec vous ?

Il a acquiescé. Un dernier rayon de soleil s'est reflété dans ses lunettes. Nous étions en octobre, et il faisait encore chaud dans le nord de la Louisiane. Greg a sorti un mouchoir blanc comme neige, dont il s'est tapoté le front.

— Ma femme, Christy, vient travailler trois jours par semaine à mi-temps, et Marge est à plein temps.

Christy, sa femme, était aussi douce que Marge était revêche.

— Comment vous avez su qu'on avait fouillé ? a demandé Amelia en revissant le bouchon du flacon de vernis et en posant celui-ci sur la table basse.

Greg a pris une profonde inspiration.

— Depuis quelques semaines, je me disais que le cabinet était visité la nuit. Pourtant, il ne manquait rien. On n'avait touché à rien, mes baguettes magiques n'avaient rien relevé. Mais il y a de ça deux jours, j'ai découvert en arrivant que l'un des tiroirs de notre principal classeur était ouvert. Bien entendu, le soir, nous les verrouillons, a-t-il ajouté. Il s'agit d'un de ces systèmes qui se ferme quand vous tournez la clé du tiroir supérieur. Presque la totalité des dossiers des clients étaient exposés au danger. Le problème, c'est que tous les jours en fin d'après-midi, avant de partir, Marge fait le tour et ferme à clé tous les classeurs. Et si quelqu'un soup-çonnait... ce que je fais ?

Je comprenais que cette éventualité fasse frisson-ner Greg jusqu'à la moelle.

— Vous avez demandé à Marge si elle se souvenait d'avoir fermé les classeurs ?

— Évidemment. Elle est montée sur ses grands chevaux – vous la connaissez – et m'a assuré que oui. Ma femme a travaillé cet après-midi-là, mais ne se souvient plus si elle a vu Marge verrouiller les classeurs ou pas. Et puis, Terry Bellefleur a débar-qué juste avant la fermeture, parce qu'il voulait encore une fois vérifier l'assurance de son fichu chien ! Lui a peut-être vu Marge fermer.

Il avait l'air tellement irrité que j'ai pris la défense de Terry, en m'efforçant d'adoucir ma voix :

— Vous savez, Greg, Terry n'est pas ravi de son état. C'est en combattant pour notre pays qu'il est devenu un peu dérangé, nous devons faire preuve d'indulgence envers lui.

Greg a eu l'air un peu bougon, puis s'est détendu.

— Je sais, Sookie. Mais il est tellement stressé à cause de ce chien !

— C'est quoi, l'histoire ? a demandé Amelia.

Si moi j'éprouve de la curiosité uniquement par moments, chez Amelia, il s'agit d'un besoin impératif. Elle veut tout savoir sur tout le monde. C'est elle qui aurait dû hériter du don de télépathie, plutôt que moi. Au lieu de le considérer comme une infirmité, elle l'aurait sans aucun doute réellement apprécié.

— Terry Bellefleur est le cousin d'Andy, ai-je expliqué, car je savais qu'Amelia avait rencontré au *Merlotte* Andy, un inspecteur de police. Il vient nettoyer le bar après la fermeture. Quelquefois, il remplace Sam, mais peut-être pas les quelques soirs où tu as travaillé.

De temps en temps, Amelia effectuait des remplacements au bar.

— Terry a combattu au Vietnam, il a été capturé, et est passé par de sacrés moments. Il en a gardé des cicatrices, à l'extérieur et à l'intérieur. Voilà l'histoire : Terry adore les chiens de chasse, il n'arrête pas de s'acheter des chiens très chers, des catahoulas, qui finissent tous mal. Sa dernière femelle a eu une portée, et il en a des sueurs froides à l'idée qu'il arrive quelque chose à la chienne ou aux petits.

— Tu veux dire que Terry est un peu déséquilibré ?

— Il traverse de mauvaises passes, mais parfois il va très bien.

— Oh ! s'est exclamée Amelia, comme si une ampoule venait de s'éclairer au-dessus de sa tête. C'est le type aux longs cheveux auburn grisonnants, un peu chauve sur le devant ? Avec des cicatrices sur la joue ? Et un gros pick-up ?

— C'est lui.

Amelia s'est tournée vers Greg.

— Vous disiez que depuis quelques semaines vous aviez senti la présence de quelqu'un après la fermeture. Impossible qu'il s'agisse de votre femme, ou de Marge?

— À moins que nous n'ayons à conduire les enfants quelque part, ma femme ne me quitte pas de la soirée. Quant à Marge, je ne vois pas pourquoi elle éprouverait le besoin de revenir. Elle passe toute la journée là, tous les jours, souvent toute seule. Les sortilèges qui protègent le bâtiment me semblent aller, mais je passe mon temps à les renouveler.

— Parlez-moi de vos sortilèges, lui a demandé Amelia, abordant son sujet favori.

Ils ont discuté charmes et sorts quelques minutes. J'écoutais sans rien comprendre, même pas leurs pensées.

— Qu'est-ce que vous voulez, Greg? a finalement dit Amelia. Je veux dire, pourquoi êtes-vous venu nous rendre visite?

En fait, il était venu me voir, moi, mais ce n'était pas désagréable d'être un « nous ».

Il nous a toutes les deux regardées, puis:

— Je veux que Sookie découvre qui a fouillé mes dossiers, et pourquoi. J'ai travaillé dur pour devenir le meilleur agent d'assurances du nord de la Louisiane, et je ne veux pas qu'on flanque en l'air mes affaires, surtout aujourd'hui. Mon fils se prépare à aller étudier à l'Université de Rhodes, à Memphis, et ce n'est pas donné!

— Pourquoi moi plutôt que la police?

— Je ne veux pas que l'on découvre ce que je suis, a-t-il expliqué, gêné mais décidé. Si la police met son nez dans mes affaires au bureau, ça risque de

ressortir. En plus, je vous ai eu un super rembour-
sement sur votre cuisine, vous savez, Sookie.

Un incendiaire avait détruit ma cuisine quelques
mois auparavant, et je venais à peine de la faire
refaire.

— C'est votre boulot, Greg! Je ne vois pas où je
dois vous être reconnaissante.

— Eh bien, dans les cas d'incendie criminel,
je dispose d'une certaine latitude. J'aurais pu sug-
gérer à la maison mère que, à mon avis, vous aviez
vous-même mis le feu.

— Vous n'auriez pas fait ça, ai-je rétorqué d'un ton
calme, même si je découvrais un aspect de Greg qui
ne me plaisait pas vraiment.

Amelia était tellement révoltée qu'elle en avait la
fumée qui lui sortait des naseaux. Mais j'ai vu que
Greg avait déjà honte d'avoir abordé cette éventualité.

— Non, a-t-il reconnu en baissant les yeux sur ses
mains. C'est vrai. Je suis désolé d'avoir dit ça, Sookie.
J'ai peur que quelqu'un ne raconte ce que je fais
à toute la ville, pourquoi les gens que j'assure ont
tellement de… chance. Pouvez-vous essayer de
découvrir quelque chose?

— Venez dîner ce soir au bar avec votre famille,
pour que je puisse les observer. Car c'est la véritable
raison pour laquelle vous voulez que je cherche,
n'est-ce pas? Vous soupçonnez votre famille, ou
votre personnel.

Il a hoché la tête, l'air misérable.

— J'essaierai d'aller parler à Marge demain. Je
dirai que vous m'avez demandé de passer.

— Oui, de temps en temps, j'envoie des coups
de fil de mon portable pour fixer des rendez-vous,
ce sera crédible pour Marge.

— Que puis-je faire? a demandé Amelia.

— Eh bien, vous pourriez l'accompagner? a suggéré Greg. Sookie est douée pour certaines choses, vous pour d'autres. À vous deux, peut-être...

— D'accord, a-t-elle acquiescé en lui offrant son grand sourire éclatant.

Son père avait dû le payer cher, le parfait sourire aux dents blanches d'Amelia Broadway, sorcière et serveuse.

Comme s'il venait seulement de réaliser que nous avions un invité, Bob le chat est entré en trottinant. Il a sauté sur une chaise juste à côté de Greg, et examiné celui-ci avec soin.

Greg a fixé Bob tout aussi intensément.

— Amelia, auriez-vous fait une chose que vous n'auriez jamais dû faire?

— Bob n'a rien de bizarre! a protesté Amelia, ce qui était faux.

Elle a cueilli dans ses bras le chat noir et blanc, et frotté son nez contre ses poils.

— C'est juste un bon gros vieux chat, n'est-ce pas, Bob?

Elle a été soulagée quand Greg a laissé tomber le sujet, et s'est levé pour prendre congé.

— Je vous serai reconnaissant de tout ce que vous pourrez faire pour moi.

Retrouvant brusquement son personnage professionnel et plongeant la main dans sa poche pour me tendre un morceau de fourrure, il a ajouté:

— Tenez, prenez une patte de lapin en plus!

— Merci.

Je me suis dit que j'allais la mettre dans ma chambre à coucher. J'avais bien besoin d'un peu de chance dans ce domaine.

Une fois Greg dehors, j'ai sauté dans mes vêtements de travail (pantalon noir et tee-shirt blanc col bateau avec MERLOTTE brodé sur le sein gauche),

104

brossé mes longs cheveux blonds avant d'en faire une queue de cheval, puis je suis partie, ayant chaussé des sandales Teva pour montrer mes magnifiques orteils vernis. Amelia, qui ne travaillait pas ce soir-là, a annoncé qu'elle irait peut-être jeter un œil au cabinet d'assurances.

— Sois prudente. Si quelqu'un rôde vraiment dans les parages, ne va pas te mettre dans de sales draps.

— Je m'en débarrasserai à l'aide de mes super pouvoirs de sorcière !

Elle ne plaisantait qu'à moitié. Amelia entretenait une haute opinion de ses capacités, ce qui avait entraîné des erreurs telles que Bob. En réalité, celui-ci avait été un jeune sorcier, mince et beau, dans le genre binoclard. Alors qu'il passait la nuit avec Amelia, il s'était retrouvé victime de l'une de ses tentatives les moins réussies en matière de magie.

— En plus, qui pourrait vouloir entrer par effraction dans un cabinet d'assurances ? s'est-elle empressée d'ajouter, à la vue de mon expression dubitative. C'est complètement ridicule. En revanche, je voudrais vérifier la magie de Greg, et voir si on l'a trafiquée.

— Tu peux faire ça ?

— Peuh, c'est du tout-venant !

*

Ce soir-là, à mon grand soulagement, le bar était calme. Nous étions mercredi, où l'affluence au dîner n'est jamais très grande, nombre de citoyens de Bon Temps allant à la messe le mercredi soir. Lorsque je suis arrivée, Sam Merlotte, mon patron, comptait des cartons de bière dans la réserve, signe qu'il n'y avait vraiment pas foule, et les serveuses préparaient elles-mêmes leurs verres.

J'ai rangé mon sac dans le tiroir du bureau de Sam qu'il garde toujours vide à cet effet, puis me suis rendue dans la salle prendre mon service. La femme que je remplaçais, une évacuée de l'ouragan Katrina que je connaissais à peine, m'a fait signe puis est partie.

Au bout d'une heure, comme promis, Greg a débarqué avec sa famille. On s'installe comme on veut, au *Merlotte*, et je lui ai subrepticement indiqué de la tête une table dans la partie qui m'était dévolue. Papa, Maman et deux ados, la famille nucléaire. Christy, la femme de Greg, aux cheveux clairs avec des lunettes comme son mari, d'une corpulence confortable correspondant à sa cinquantaine, n'avait jamais rien manifesté d'exceptionnel, dans quelque domaine que ce soit. Petit Greg (c'est comme cela qu'ils l'appelaient), faisait cinquante centimètres de plus que son père, et lui prenait une bonne dizaine de kilos et dix points de QI. Enfin, du point de vue livresque. Sinon, comme tous les gamins de dix-neuf ans, il était plutôt bêta en matière de compréhension du monde. Lindsay, la fille, la chevelure considérablement éclaircie, avait réussi à enfiler une tenue trop petite d'au moins une taille, et n'attendait qu'une chose, pouvoir fausser compagnie à ses parents pour aller voir le Petit Ami Interdit.

J'ai pris leur commande, et découvert : a) que Lindsay entretenait la conviction erronée qu'elle ressemblait à Christina Aguilera, b) que Petit Greg n'avait aucune intention d'entrer dans les assurances, tellement c'était d'un ennui mortel, et que c) Christy était persuadée que Greg s'intéressait à une autre femme, tant il était distrait ces derniers temps. Vous pensez bien qu'opérer la distinction entre ce que je perçois dans l'esprit des gens et ce que j'entends sortir directement de leur bouche exige un gros effort intellectuel, ce qui explique le sourire crispé que j'affiche souvent – qui en a conduit certains à penser que j'étais cinglée.

Après leur avoir apporté les boissons et avoir transmis la commande des plats, j'ai tournicoté autour de la famille Aubert pour l'étudier. Ils étaient typiques à pleurer. Petit Greg pensait essentiellement à sa petite amie, et j'en ai appris plus sur le sujet que je n'en demandais.

Greg était tout bonnement inquiet.

Christy se demandait s'il était temps d'envisager le remplacement du sèche-linge dans l'office.

Vous voyez ? Voilà à quoi pensent la plupart des gens. Christy évaluait également les qualités de Marge Barker (efficacité, loyauté), au regard du fait qu'elle n'aimait vraiment pas du tout cette femme.

Lindsay, elle, songeait à son petit ami secret. Comme toutes les adolescentes de la terre, elle était convaincue que ses parents étaient les gens les plus ennuyeux du monde, et qu'en plus, ils avaient avalé des parapluies. Ils ne comprenaient *rien à rien*. De son côté, Lindsay ne voyait pas pourquoi Dustin ne voulait pas la présenter à ses parents, ni l'emmener chez lui. Seul Dustin comprenait à quel point elle avait l'âme poétique, à quel point elle pouvait être fascinante, à quel point elle était incomprise...

Si on m'avait donné dix cents à chaque fois que j'ai entendu ça dans la tête d'un adolescent, je serais riche comme Crésus.

La sonnette du passe-plat a retenti, et je suis allée chercher des mains de notre cuisinier la commande des Aubert. Les bras chargés de plats, j'ai gagné rapidement la table. J'ai dû subir un examen complet aux rayons X de la part de Petit Greg, mais cela non plus n'avait rien d'exceptionnel. Les types ne peuvent pas s'en empêcher. Lindsay, elle, ne m'a même pas vue. Elle se demandait pourquoi Dustin se montrait tellement cachottier à propos de ses activités diurnes. Est-ce qu'il n'aurait pas dû aller à l'école ?

Tiens, tiens. Une piste se dessinait-elle là ?

Mais Lindsay s'est mise à penser à son D en algèbre : quand ses parents allaient le découvrir, ils allaient l'empêcher de sortir, et elle ne pourrait plus voir Dustin, à moins de s'échapper par la fenêtre de sa chambre à 2 heures du matin. Elle pensait sérieusement à aller jusqu'au bout avec lui.

Je me suis sentie triste et vieille, à cause de Lindsay. Et très intelligente, aussi.

Quand les Aubert ont payé l'addition et sont partis, j'en avais soupé de la famille, et mon cerveau n'en pouvait plus (un sentiment étrange, que je suis tout simplement incapable de décrire).

Je me suis traînée tout le reste de la soirée, ravie jusqu'au bout de mes ongles vernis *Roses glacées* quand j'ai passé la porte de derrière.

Je déverrouillais la portière de ma voiture lorsqu'une voix derrière moi a fait :

— Psst !

Je me suis retournée avec un cri étouffé, les clés à la main, prête à attaquer.

— C'est moi ! a fait Amelia en jubilant.

— Bon sang, Amelia, ne t'approche pas comme ça sans bruit !

Je me suis affaissée contre la voiture.

— Désolée, a-t-elle fait, sans avoir l'air le moins du monde désolée. Hé, je suis allée au cabinet d'assurances, et devine quoi ?

— Quoi ?

Elle a paru enregistrer mon manque d'enthousiasme.

— Tu es fatiguée ?

— Je viens de passer la soirée à écouter la famille la plus banale du monde. Greg est inquiet, Christy est inquiète, Petit Greg est en rut, et Lindsay a un amoureux secret.

— Et toi, tu sais quoi ?

— C'est peut-être un vampire.

— Oh, a-t-elle fait, déçue. Tu étais déjà au courant ?

— Sans certitude. Mais j'ai appris des choses fascinantes, en revanche : il comprend Lindsay comme jamais personne ne l'a comprise de toute sa pauvre vie, il pourrait bien être Le Grand Amour, et elle songe à faire l'amour avec cet abruti.

— Eh bien, moi, j'ai découvert où il habite. Allons y faire un tour. Tu conduis, moi je dois préparer des trucs.

Nous sommes montées dans la voiture d'Amelia, et j'ai pris le volant. Elle a entrepris de farfouiller dans son sac, plein de petits sachets en plastique zippés remplis de recettes de magie prêtes à emporter : herbes et ingrédients divers. Peut-être même des ailes de chauve-souris, pour ce que j'en savais.

— Il vit tout seul dans une grande maison avec un panneau « À vendre » dans le jardin devant. Pas de meubles. Et il n'a pas l'air d'avoir plus de dix-huit ans.

Elle m'a désigné la maison du doigt, sombre et isolée.

— Hmmm.

Nos regards se sont croisés.

— Qu'est-ce que tu en penses ? a-t-elle demandé.

— Un vampire, c'est quasiment sûr.

— Ça se pourrait. Mais pourquoi un vampire étranger se trouverait-il à Bon Temps ? Pourquoi les autres ne sont-ils pas au courant ?

Être vampire dans l'Amérique d'aujourd'hui ne posait pas de problème, mais ils essayaient quand même de faire profil bas, et appliquaient une réglementation rigoureuse.

— Et qu'est-ce que tu en sais ? Qu'ils ne sont pas au courant, je veux dire.

Bonne question. Les vampires de la zone étaient-ils obligés de m'informer ? Je n'étais pas vraiment chargée de les accueillir officiellement.

— Amelia, tu as suivi un vampire ? Ce n'est pas très malin.

— Non, mais, ce n'est pas comme si j'avais su dès le départ qu'il avait les crocs ! Je l'ai juste suivi après l'avoir vu rôder autour de la maison des Aubert.

— Je crois qu'il est en train de séduire Lindsay. Je ferais mieux de passer un coup de fil.

— Mais tout ça a-t-il un rapport avec les affaires de Greg ?

— Je ne sais pas. Où est-il passé, ce garçon ?

— Il est chez Lindsay. Il a fini par se garer dehors. Je suppose qu'il attend qu'elle sorte.

— Merde !

Je me suis garée dans la rue, un peu plus bas que la maison de style ranch des Aubert. J'ai ouvert mon portable pour appeler le *Fangtasia*. Ce n'est peut-être pas très bon signe, quand le numéro du bar à vampires de la zone est enregistré dans vos favoris.

Une voix inconnue a décroché :

— *Fangtasia*, « le bar qui a du mordant » ?

Tout comme les évacués humains de l'ouragan Katrina saturaient Bon Temps et toute la région, la communauté vampire de Shreveport était elle aussi submergée.

— Ici Sookie Stackhouse. J'aurais besoin de parler à Eric, s'il vous plaît.

— Oh, vous êtes la télépathe ? Désolé, miss Stack-house, mais Eric et Pam sont sortis ce soir.

— Peut-être pouvez-vous me renseigner, et me dire si de nouveaux vampires résident dans ma ville, Bon Temps ?

— Je vais demander.

La voix est revenue au bout de quelques minutes.

— Clancy dit que non.

Clancy était en quelque sorte le n° 3 d'Eric, et je ne faisais pas partie de ses humains favoris. Vous aurez remarqué qu'il n'avait même pas demandé pourquoi je posais la question. J'ai remercié le vampire inconnu pour le dérangement, puis j'ai raccroché.

J'étais coincée. Pam, le bras droit d'Eric, était en quelque sorte une bonne copine, et Eric un peu plus que ça, à l'occasion. En leur absence, j'allais être obligée de joindre notre vampire local, Bill Compton.

— Je vais devoir appeler Bill, ai-je annoncé avec un soupir.

Amelia me connaissait suffisamment pour savoir pourquoi l'idée me traumatisait. Je me suis préparée mentalement, et j'ai composé le numéro.

— Oui ? a répondu une voix froide.

Dieu merci. Je craignais de tomber sur sa nouvelle petite amie, Selah.

— Bill, c'est Sookie. Eric et Pam sont injoignables, et j'ai un problème.

— Lequel ?

Bill a toujours su mesurer ses paroles.

— Il y a en ville un jeune homme dont nous pensons qu'il est un vampire. Tu le connais ?

— Ici, à Bon Temps ?

Bill était visiblement surpris et mécontent, ce qui répondait à ma question.

— Oui, et Clancy m'a dit qu'ils n'avaient expédié aucun nouveau vampire à Bon Temps. Je me disais que tu avais peut-être rencontré cet individu ?

— Non, ce qui signifie qu'il prend sans doute soin de ne pas croiser mon chemin. Où es-tu ?

— Nous sommes garées près de chez les Aubert. Il s'intéresse à la fille, une adolescente. Nous nous sommes mises dans l'allée d'une maison à vendre de l'autre côté de la rue, à peu près au milieu du pâté de maisons, sur Hargrove.

— J'arrive tout de suite. Ne l'approche pas.

Comme si j'allais faire une chose pareille.

Amelia avait pris la tête de la copine indignée pour son amie, et je commençais à pester : « Il me croit assez bête pour... », quand la portière s'est ouverte à toute volée, et une main blanche s'est abattue sur mon épaule. J'ai eu le temps de pousser un cri perçant avant que l'autre main ne s'écrase sur ma bouche.

— La ferme, la vivante ! a grincé une voix encore plus glaciale que celle de Bill. C'est toi qui m'as suivi toute la nuit ?

J'ai compris qu'il ignorait la présence d'Amelia sur le siège du passager. Bien.

Dans l'impossibilité de parler, j'ai hoché légèrement la tête.

— Pourquoi ? a-t-il grogné. Qu'est-ce que tu me veux ?

Il me secouait comme un chiffon à poussière, et j'ai cru qu'il allait me démantibuler le squelette.

Amelia a bondi à l'extérieur, de l'autre côté de la voiture, et a foncé sur nous, lui répandant le contenu d'un sachet en plastique sur la tête. Je n'avais aucune idée de ce qu'elle pouvait bien marmonner en même temps, évidemment, mais l'effet a été spectaculaire. Après un sursaut de stupéfaction, le vampire s'est pétrifié. Le problème, c'est que j'avais le dos collé contre sa poitrine, et que nous étions dans une étreinte impossible à briser. J'étais aplatie contre lui, il avait la main gauche pressée contre ma bouche, et la droite passée autour de ma taille. Pour l'instant, on ne pouvait pas dire que l'équipe d'investigation de Sookie Stackhouse, télépathe, et Amelia Broadway, sorcière, fasse des étincelles.

— Pas mal, hein ? a jeté Amelia.

J'ai réussi à remuer un tout petit peu la tête.

— Oui, si je pouvais respirer.

Je regrettais d'avoir gâché mon souffle à parler.

Bill est apparu, inspectant la situation :

— Espèce d'idiote, Sookie est coincée ! Annule le sortilège !

Amelia a pris l'air maussade, sous les réverbères. J'ai compris avec une certaine angoisse que l'annulation des sorts ne faisait pas partie de ses plus grands talents. Réduite à l'impuissance, j'ai attendu qu'elle travaille sur le sujet.

— Si ça ne marche pas, j'en ai pour une seconde à lui casser le bras, m'a rassuré Bill.

J'ai hoché la tête… enfin, bougé un centième de centimètre… impossible de faire mieux. Je commençais à manquer d'air.

Soudain, un petit *pop !* a retenti dans les airs, et le jeune vampire m'a lâchée pour se jeter sur Bill – qui n'était plus là, mais derrière lui. Il s'est emparé d'un des bras du garçon, qu'il lui a tordu dans le dos. Le garçon a hurlé, et ils sont tombés à terre. Je me suis demandé si quelqu'un allait appeler la police. Cela faisait beaucoup de bruit et d'activité, pour un quartier résidentiel, à 1 heure du matin passée. Mais aucune lumière ne s'est allumée nulle part.

— Maintenant, parle !

Bill était positivement déterminé, et je suppose que le garçon l'a senti.

Mince, les cheveux bruns hérissés en épis, il portait des clous en diamant dans le nez.

— C'est quoi, votre problème ? a-t-il protesté d'un ton outré. Cette femme n'a pas arrêté de me suivre, je dois savoir qui c'est !

Bill m'a jeté un regard interrogateur, et j'ai indiqué Amelia d'un signe de tête.

— Tu ne t'es même pas attaqué à la bonne, a remarqué Bill, l'air déçu par le jeune homme. Pourquoi te trouves-tu à Bon Temps ?

— Pour échapper à Katrina. Mon créateur a été tué par un humain quand nous nous sommes retrouvés à court de substitut de sang en bouteille, après l'inondation. J'ai volé une voiture à la sortie de La Nouvelle-Orléans, changé les plaques d'immatriculation, et j'ai quitté la ville. Je suis arrivé ici quand le jour se levait. J'ai trouvé une maison vide avec un panneau « À vendre » et une salle de bains sans fenêtre, alors, je me suis installé. Je sors avec une fille du coin. Je lui prends une gorgée tous les soirs, elle ne s'en est même pas aperçue, a-t-il ricané.

— En quoi est-ce qu'il t'intéresse ? m'a demandé Bill.

— Vous êtes allés tous les deux dans le bureau de son père ? ai-je interrogé.

— Ouais, une ou deux fois.

Il a eu un petit sourire suffisant, avant d'ajouter :

— Il y a un canapé dans le bureau.

J'ai eu envie de lui retourner une tarte, de lui enfoncer comme par accident ses bijoux dans le nez.

— Depuis combien de temps tu es vampire ? lui a demandé Bill.

— Euh… deux mois, peut-être.

D'accord, voilà qui expliquait beaucoup de choses.

— Voilà pourquoi il ne savait pas qu'il devait s'enregistrer auprès d'Eric, ai-je remarqué. Voilà pourquoi il n'a pas compris qu'il se conduisait de façon idiote, et qu'il courait le risque de se faire tuer.

— L'imbécillité n'est pas une excuse, a rétorqué Bill.

J'ai demandé au garçon, qui avait l'air un peu hébété :

— Tu as regardé les dossiers, dans le cabinet d'assurances ?

— Euh, non. Pourquoi j'aurais fait ça ? Je tripotais juste la fille, pour avoir une petite gorgée, vous comprenez ? Je faisais vraiment attention de ne pas en prendre trop. Je n'ai pas d'argent pour acheter le truc artificiel.

— C'est pas possible d'être aussi bête ! est intervenue Amelia, excédée. Pour l'amour du Ciel, renseigne-toi un peu sur ton état ! Comme les gens normaux, les vampires en rade peuvent obtenir de l'aide. Tu demandes du sang synthétique à la Croix- Rouge, et ils t'en filent une quantité gratuitement.

— Ou bien tu aurais pu te renseigner sur le shérif de la zone, a renchéri Bill. Eric ne renverrait jamais un vampire dans le besoin. Qu'est-ce qui se serait passé si quelqu'un t'avait découvert en train de mordre cette fille ? Je suppose qu'elle est mineure, en plus ?

Bill faisait allusion à l'âge du consentement pour le « don » de sang à un vampire.

Dustin a eu l'air ahuri.

— Oh oui, ai-je expliqué. C'est Lindsay, la fille de Greg Aubert, mon agent d'assurances. Il voulait savoir ce qui se passait dans son bureau la nuit, il nous a demandé comme un service d'enquêter, Amelia et moi.

— Son sale boulot, il devrait le faire lui-même, a jeté Bill d'un ton très calme mais les poings serrés. Comment t'appelles-tu, mon garçon ?

— Dustin.

Il avait même donné son véritable nom à Lindsay.

— Eh bien, Dustin, cette nuit nous allons au *Fangtasia*, le bar de Shreveport qui sert de quartier général à Eric Northman. Il discutera avec toi, et décidera de ton sort.

— Je suis un vampire libre, je vais où je veux !

— Oh non, pas dans la Cinquième Zone. Tu vas voir Eric, le shérif de la zone.

Manu militari, Bill a embarqué le jeune vampire dans la nuit, probablement pour le charger dans sa voiture et l'emmener à Shreveport.

— Je suis désolée, Sookie, s'est excusée Amelia.

— Au moins, tu l'as empêché de me tordre le cou, ai-je soupiré avec philosophie. Nous restons avec notre problème sur les bras. Ce n'est pas Dustin qui a fouillé dans les dossiers, même si à mon avis c'est l'intrusion de Dustin et Lindsay qui a perturbé la magie de Greg. Comment ont-ils pu la contourner ?

— Quand Greg m'a expliqué son sortilège, j'ai compris qu'il n'était pas très doué comme sorcier. En plus, Lindsay fait partie de la famille, et le sort de Greg était dirigé contre les étrangers, ce qui fait une différence. Et puis, quelquefois, les incantations créées pour les humains enregistrent les vampires comme des vides, puisqu'ils ne sont pas vivants. Le sortilège de « pétrification » de vampire que j'ai concocté est très spécifique.

— Qui d'autre peut contourner l'effet des sortilèges pour faire du mal ?

— Les néants magiques.

— Hein ?

— Il existe des gens, très rares, que la magie est incapable d'affecter. Je n'en ai jamais rencontré qu'un.

— Et comment détecte-t-on ces « néants » ? Ils émettent une vibration spéciale, quelque chose dans ce goût-là ?

— Seuls les sorciers très expérimentés peuvent détecter les néants autrement qu'après l'échec d'un sortilège, a reconnu Amelia. Greg n'a probablement jamais eu affaire à l'un d'entre eux.

— Allons voir Terry, ai-je suggéré. Il ne dort pas de la nuit.

Les aboiements d'un chien ont annoncé notre arrivée à la bicoque de Terry. Celui-ci vivait au milieu d'un bon hectare de bois. Il aimait rester seul la majeure partie du temps, et un boulot occasionnel de barman suffisait à satisfaire ses éventuels besoins de relations sociales.

— Ce doit être Annie, ai-je remarqué tandis que les aboiements redoublaient d'intensité. Sa quatrième.

— Femme ? Ou chienne ?

— Chienne. Une catahoula, pour être plus précise. La première a été écrasée par un camion, je crois, une autre a été empoisonnée, et encore une autre mordue par un serpent.

— Mince, c'est pas de chance !

— Oui, à moins que la chance n'ait rien à y voir, et que ce ne soit le résultat de manœuvres malveillantes.

— À quoi servent les catahoulas ?

— Ce sont des chiens de chasse, ou de berger. Je t'en supplie, ne lance pas Terry sur le sujet de l'histoire de la race.

La porte du mobile home de Terry s'est ouverte, et Annie s'est ruée du haut des marches pour déterminer si nous étions amies ou ennemies. Elle aboyait comme une furie, et lorsque nous nous sommes immobilisées, elle a fini par se souvenir qu'elle me connaissait. C'était une chienne de bonne taille, qui devait peser une vingtaine de kilos. À moins d'aimer la race, on ne peut pas dire que les catahoulas soient de beaux chiens. Le poil d'Annie présentait plusieurs nuances de brun et de roux, une de ses épaules était d'une couleur franche, ses pattes d'une autre, et sa croupe tachetée.

— Sookie, tu es venue chercher un chiot ? a lancé Terry. Annie, laisse-les passer.

La chienne a reculé docilement, sans nous quitter des yeux tandis que nous nous rapprochions du mobile home.

— Je viens les voir. J'ai amené mon amie Amelia, elle adore les chiens.

J'ai perçu qu'Amelia m'aurait bien fichu une tape sur la tête, car c'était incontestablement une folle de chats.

Annie et ses chiots avaient un peu transformé le mobile home en chenil, mais l'odeur n'était pas franchement désagréable. Annie nous a surveillées avec vigilance pendant que nous examinions les chiots. Terry les manipulait avec douceur, de ses mains couturées de cicatrices. Au cours de son expédition imprévue, Annie avait rencontré plusieurs messieurs chiens, et les chiots étaient très divers. Adorables, comme tous les chiots, mais bien distincts les uns des autres. J'ai pris une boule de poils courts tirant sur le roux avec un museau blanc, qui s'est tortillée contre moi en me reniflant les doigts. Mon Dieu, qu'il était mignon !

— Terry, tu es inquiet à propos d'Annie ? lui ai-je demandé.

Étant lui-même à côté de ses pompes, Terry se montrait très tolérant envers les bizarreries des autres.

— Ouais. Je me suis mis à réfléchir à ce qui était arrivé à mes chiens, et je me suis demandé si c'était pas quelqu'un qui était responsable.

— Tu les avais tous assurés chez Greg Aubert?

— Nan, c'est Diane, chez Liberty South, qui avait assuré les autres. Et tu vois ce qui leur est arrivé? J'ai décidé de changer d'assureur, et tout le monde dit que Greg est le fils de pute le plus chanceux du Comté de Renard.

Le chiot s'est mis à me mordiller les doigts. Aïe. Amelia examinait le mobile home miteux, assez propre, mais dont le mobilier aussi bien que son agencement étaient strictement utilitaires.

— Alors, tu as fouillé dans les dossiers de Greg?

— Non, pourquoi j'aurais fait ça?

Sincèrement, je ne voyais effectivement aucune raison à cela. Par bonheur, le pourquoi de ma question ne paraissait pas intéresser Terry.

— Sookie, si quelqu'un au bar pense à mes chiens, ou sait quoi que ce soit à leur sujet, tu me le diras?

Terry connaissait mon don. Il s'agissait de l'un de ces secrets dont tout le monde est au courant dans une communauté, mais dont personne ne parle jamais. Sauf quand on a besoin de moi.

— D'accord, Terry, je le ferai.

C'était une promesse, et je lui ai serré la main. J'ai reposé à contrecœur le chiot dans son enclos improvisé, et Annie l'a reniflé avec inquiétude pour s'assurer que tout allait bien.

Nous n'avons pas tardé à prendre congé, sans avoir avancé d'un pouce dans notre affaire.

— Alors, il nous reste qui? a demandé Amelia. Tu penses que la famille n'a rien à voir là-dedans, le petit ami vampire est innocenté, et Terry, la seule autre personne sur les lieux, est blanc comme neige. Qu'est-ce qu'on fait, maintenant ?

— Tu n'aurais pas un tour de magie qui nous fournirait un indice ?

Je nous voyais déjà en train de jeter de la poudre magique sur les dossiers pour découvrir des empreintes.

— Euh... non.

— Bon, alors, procédons par le raisonnement, comme ils font dans les romans policiers. Ils se contentent de discuter.

— Je suis pour. Ça économise de l'essence.

Nous sommes rentrées à la maison, et nous nous sommes installées de part et d'autre de la table de la cuisine. Amelia s'est préparé une tasse de thé, et j'ai pris un Coca sans caféine.

J'ai récapitulé :

— Greg redoute que quelqu'un n'ait fouillé ses dossiers au cabinet. Nous avons élucidé l'histoire de l'intrusion. Il s'agissait de sa fille et de son petit ami. Il ne nous reste donc que les dossiers. Qui pourrait être intéressé par les clients de Greg ?

— Il pourrait aussi s'agir d'un individu convaincu que Greg ne l'a pas assez indemnisé sur un sinistre, ou qui pense qu'il escroque ses clients ? a suggéré Amelia en sirotant son thé.

— Mais pourquoi éplucher les dossiers ? Pourquoi ne pas se contenter d'une réclamation auprès de la commission nationale des agents d'assurances, ou un truc dans ce genre-là ?

— D'accord. Ensuite, il y a... la seule possibilité restante, c'est un autre assureur. Quelqu'un qui se demande pourquoi Greg a une veine tellement phénoménale. Quelqu'un qui ne croit ni au hasard, ni à ses pattes de lapin synthétiques ringardes.

Quand on réfléchissait, et qu'on écartait tous les à-côtés qui vous encombraient l'esprit, cela se révélait tellement simple ! Le coupable devait appartenir à la même profession, j'en étais certaine.

Il me semblait bien connaître trois autres agents d'assurances à Bon Temps, mais j'ai quand même vérifié dans l'annuaire.

— Je suggère qu'on les fasse les uns après les autres, en commençant par les locaux, a proposé Amelia. Je suis en ville depuis peu, je peux leur dire que je veux compléter mes assurances.

— Je t'accompagnerai, pour les écouter.

— Et dans le courant de la conversation, je ferai allusion à l'Agence Aubert, pour qu'ils pensent correctement.

Amelia avait posé suffisamment de questions pour comprendre comment fonctionnait mon don de télépathie.

— Demain matin, à la première heure, ai-je acquiescé.

Ce soir-là, nous sommes allées nous coucher avec un frisson d'anticipation. Un plan était une chose merveilleuse. Stackhouse et Broadway se lançaient dans l'action.

Mais le lendemain n'a pas démarré exactement comme prévu. D'une part, le temps avait décidé de passer à l'automne. Il faisait frais, et il pleuvait des cordes. J'ai rangé avec tristesse mon short et mon débardeur, sachant que je ne les remettrais probablement pas avant plusieurs mois.

Le premier agent, Diane Porchia, était protégé par une employée très douce, Alma Dean, qui s'est froissée lorsque nous avons insisté pour voir sa patronne. Amelia s'est contentée d'afficher son sourire rayonnant et ses dents éclatantes jusqu'à ce que Mrs Bean aille chercher Diane dans son bureau.

Celle-ci, une femme trapue d'une cinquantaine d'années, est venue nous serrer la main.

— Je fais faire le tour de tous les agents de la ville à mon amie Amelia, en commençant par Greg Aubert, ai-je expliqué tout en écoutant aussi attentivement que possible dans son esprit.

Je n'ai récolté qu'un sentiment de fierté professionnelle… et un soupçon de désespoir. Le nombre de demandes de déclarations de sinistres que Diane Porchia avait récemment traitées l'effrayait. Il était anormalement élevé, et elle ne pensait qu'à placer des polices d'assurances. Amelia m'a adressé un petit signe de la main : Diane Porchia n'était pas un néant magique.

— Greg Aubert pense que quelqu'un s'est introduit la nuit dans son cabinet, a annoncé Amelia.

— Nous aussi ! a dit Diane, réellement stupéfaite. Mais on n'a rien volé. (Elle a repris ses esprits, pour revenir à son but :) Nos tarifs sont très compétitifs, par rapport à ceux de Greg. Jetez un œil à la couverture que nous proposons, et je crois que vous serez d'accord.

Un peu plus tard, la tête farcie de chiffres, nous étions en route pour le cabinet de Bailey Smith. Bailey avait été un camarade de classe de mon frère Jason au lycée, et nous avons dû passer un peu de temps à jouer à « Et qu'est-ce qu'il/elle devient ? ». Mais le résultat a été le même. Le seul souci de Bailey était d'obtenir la clientèle d'Amelia, et peut-être de lui extorquer d'aller boire un verre avec lui, s'il arrivait à dénicher un endroit où il pourrait l'emmener sans que sa femme l'apprenne.

Lui aussi avait constaté une intrusion dans son cabinet. Dans son cas, une vitre avait été brisée, mais, là non plus, rien n'avait été subtilisé. Et de

122

son cerveau, j'ai perçu directement que les affaires étaient mauvaises. Très mauvaises.

Chez John Robert Briscoe, un autre problème s'est présenté : il ne voulait pas nous recevoir. Son employée, Sally Lundy, ressemblait à un ange armé d'une épée flamboyante, montant la garde devant son bureau. La chance s'est présentée lorsqu'une cliente est entrée, une petite femme desséchée, qui avait eu un accident le mois précédent.

—Je ne sais pas comment ça se fait, a-t-elle déclaré, mais à la minute où j'ai signé avec John Robert, j'ai eu un accident. Et il s'est à peine écoulé un mois qu'il m'en arrive un autre !

—Venez par là, Mrs Hanson, l'a pressée Sally en nous lançant un regard méfiant et en poussant la petite femme dans le sanctuaire du patron.

À peine avaient-elles disparu qu'à ma surprise et consternation Amelia a passé en revue la pile de paperasse dans la corbeille d'arrivée du courrier.

Sally a regagné son bureau, et Amelia et moi avons pris congé.

—Nous reviendrons plus tard, nous avons un rendez-vous.

À peine la porte franchie, Amelia m'a révélé :

—Il n'y avait que des déclarations de sinistre et des demandes d'indemnisation !

La pluie avait enfin cessé, et elle a repoussé la capuche de son ciré.

—Il y a quelque chose qui ne va pas là-dedans. John Robert est encore plus atteint par le phénomène que Diane ou Bailey.

Nous nous sommes regardées, et j'ai fini par énoncer à haute voix ce que nous pensions toutes les deux :

—Greg aurait-il bouleversé un certain état des choses, en réclamant plus que sa part de chance ?

— Je n'ai jamais entendu parler d'un truc pareil.

Nous étions pourtant toutes les deux convaincues que Greg, sans le savoir, avait flanqué en l'air un équilibre cosmique.

— Aucune des autres agences n'avait de néant magique, a remarqué Amelia. Je n'ai pas eu l'opportunité de vérifier John Robert et son employée, ça doit être l'un d'entre eux.

J'ai jeté un coup d'œil à ma montre.

— Il va partir déjeuner d'une minute à l'autre, et Sally aussi, sans doute. Je vais aller derrière, là où ils se garent, et essayer de les retarder. Tu dois te trouver très près d'eux ?

— Avec un de mes sorts, ce sera mieux, a-t-elle répondu avant de foncer à la voiture pour aller y retirer son sac.

Je me suis dépêchée pour contourner le bâtiment, juste à un pâté de maisons de la rue principale, mais entouré de buissons de lilas des Indes.

J'ai réussi à rejoindre John Robert alors qu'il quittait son bureau. Sa voiture était sale. Il marchait voûté, l'air débraillé. Je le connaissais de vue, mais nous n'avions jamais conversé.

— Mr Briscoe !

Il a levé la tête, l'air désorienté. Puis son visage s'est éclairé, et il s'est efforcé de sourire.

— Sookie Stackhouse, n'est-ce pas ? Ma petite, il y a une éternité que je ne vous ai vue.

— Je suppose que vous n'allez pas souvent au *Merlotte*.

— Non, le soir je rentre à la maison retrouver ma femme et mes enfants. Ils ont de nombreuses occupations.

— Vous arrive-t-il de vous rendre au cabinet de Greg Aubert ? lui ai-je demandé en essayant d'adopter un ton léger.

Il m'a regardée un bon moment avec insistance.

— Non, pourquoi irais-je faire ça?

J'ai su, entendu directement dans son esprit, qu'il ne voyait absolument pas de quoi je voulais parler. Mais voilà qu'a débarqué Sally Lundy. À la vue de son patron en train de discuter avec moi, alors qu'elle avait fait de son mieux pour le protéger, la fumée lui sortait pratiquement des oreilles.

Lui, soulagé de voir apparaître son bras droit, lui a dit:

— Sally, cette jeune femme veut savoir si je suis allé au bureau de Greg ces derniers temps.

— Et comment, qu'elle veut le savoir!

Même John Robert a sursauté à son ton venimeux.

C'est alors que j'ai obtenu le nom que j'attendais:

— C'est vous! Vous, Miss Lundy. Mais pourquoi faites-vous ça?

Elle m'aurait flanqué la trouille, si je n'avais pas su que je disposais de renforts. Tiens, en parlant de renforts...

— Pourquoi je fais ça? a-t-elle hurlé. Vous avez le culot, le toupet, les... les *couilles* de me demander ça?

John Robert n'aurait pas affiché un air plus horrifié s'il était poussé des cornes à Miss Lundy.

— Sally, a-t-il fait d'un air inquiet, vous devriez peut-être vous asseoir.

Elle a crié:

— Vous n'y comprenez rien! Rien de rien! Ce Greg Aubert, il est en cheville avec le diable! Diane et Bailey sont dans la même galère que nous, et nous sommes en train de couler! Vous savez combien de demandes d'indemnisation il a traitées la semaine dernière? Trois! Et vous savez combien de nouvelles polices d'assurances il a signées? Trente!

Les chiffres ont littéralement fait tituber John Robert. Il a suffisamment repris ses esprits pour répondre :

— Sally, on ne peut pas lancer d'accusations fantaisistes contre Greg. C'est un homme honnête, il ne ferait jamais...

Mais c'est bien ce qu'avait fait Greg, sans s'en apercevoir.

Sally a décrété que le moment était opportun pour me flanquer un coup de pied dans les tibias, et j'ai été ravie de porter un jean au lieu de mon short, ce jour-là. *D'accord, Amelia, à ta disposition, quand tu veux !* John Robert battait des bras dans tous les sens et hurlait sur Sally – mais sans faire mine de la retenir, j'ai remarqué – et elle braillait de toutes ses forces, faisant part de ses sentiments sur Greg Aubert et cette salope de Marge qui travaillait pour lui. Elle avait beaucoup à dire sur Marge. Elle la détestait cordialement.

Moi, j'essayais de maintenir Sally à bout de bras, sûre d'avoir les jambes pleines de bleus le lendemain.

Amelia a fini par faire son apparition, *enfin* ! hors d'haleine et les vêtements en désordre :

— Désolée, a-t-elle haleté, tu ne le croiras jamais, mais mon pied est resté coincé entre le siège et le rebord de la portière, je suis tombée, mes clés ont glissé sous la voiture... enfin, bon, « Congelo » !

Le pied de Sally suspendu en plein vol, elle s'est figée en équilibre sur une jambe maigre. John Robert, dans un geste de désespoir, avait les deux mains levées au ciel. Je lui ai touché le bras, aussi dur que celui du vampire pétrifié de la nuit précédente. Au moins, lui ne me tenait pas prisonnière.

— Et maintenant ? ai-je demandé.

126

— Je croyais que tu savais ! On doit leur ôter de la tête de penser à Greg et à sa chance !

— Le problème, c'est que je suis convaincue que Greg a usé toute la chance disponible aux alentours, ai-je expliqué. Regarde tous les problèmes que tu as eus pour sortir de la voiture.

Amelia a eu l'air de réfléchir intensément.

— Oui, a-t-elle conclu, il faut qu'on ait une petite conversation avec Greg. Mais d'abord, sortons-nous de cette situation. (La main tendue en direction des deux pétrifiés, elle a articulé :) Ah – *amicus cum Greg Aubert*.

Ils n'ont pas eu l'air plus avenant, mais peut-être le changement s'effectuait-il dans leurs cœurs. «*Regelo*», a prononcé Amelia, et le pied de Sally a heurté le sol avec force. Elle a fait une sorte d'embardée, et je l'ai rattrapée, en priant pour qu'elle ne me balance pas un nouveau coup de pied.

— Attention, miss Sally ! Vous avez failli perdre l'équilibre.

— Qu'est-ce que vous faites là ? m'a-t-elle demandé avec surprise.

Bonne question.

— On coupait par-derrière pour aller au McDonald's avec Amelia, ai-je expliqué avec un geste en direction des arches dorées qui s'élevaient une rue plus loin. Nous ignorions que vous aviez autant de buissons par ici. On va retourner récupérer la voiture au parking devant, et faire le tour.

— Ce serait préférable, a renchéri John Robert. Comme ça, on ne s'inquiétera pas de ce que votre voiture puisse subir un dommage sur notre parking, a-t-il expliqué d'un air morose. Quelque chose va sûrement tomber dessus, ou lui rentrer dedans. Je vais peut-être appeler ce bon Greg Aubert, et lui demander s'il a des idées sur la façon de mettre un terme à la malchance qui me poursuit.

— Faites donc ça. Je suis sûre que Greg sera ravi de discuter avec vous. Je parie qu'il vous donnera plein de pattes de lapin.

— Ça, c'est sûr qu'il est gentil, ce Greg, a opiné Sally Lundy, qui est repartie en direction du bureau, un peu étourdie, mais ne s'en portant pas plus mal.

Je me suis rendue avec Amelia au cabinet d'assurances de Greg. Toute cette affaire nous rendait songeuses.

Greg se trouvait là, et nous nous sommes laissé tomber sur les sièges destinés aux clients.

— Greg, vous devez cesser d'utiliser à ce point vos sortilèges, lui ai-je annoncé, en lui expliquant pourquoi.

— Mais je suis le meilleur agent de Louisiane! J'ai un record incroyable, a-t-il protesté, effrayé et en colère.

— Je ne peux pas vous obliger à modifier quoi que ce soit, mais vous êtes en train d'aspirer toute la chance du Comté de Renard. Il faut en laisser un petit peu pour les autres. Diane et Bailey souffrent tellement de la situation qu'ils envisagent de changer de métier, et John Robert Briscoe est quasiment suicidaire.

Pour rendre justice à Greg, une fois que nous lui avons expliqué la situation, il était horrifié.

— Je vais changer mes sorts, a-t-il décrété. Je vais accepter un peu de malchance. Je ne peux pas croire que j'aie utilisé la part de tout le monde.

Il n'avait pas l'air complètement réjoui, mais il s'était résigné.

— Et les gens dans le cabinet, la nuit? a-t-il ajouté humblement.

— Ne vous inquiétez pas pour ça, c'est réglé.

128

En tout cas, je l'espérais. Que Bill ait emmené le jeune vampire à Shreveport n'empêcherait pas nécessairement celui-ci de revenir. Mais peut-être le couple dénicherait-il un autre lieu pour mener à bien son exploration mutuelle.

— Nous nous sommes montrées excellentes enquêtrices, ai-je commenté tandis que nous rentrions à la maison.

— Bien entendu, a dit Amelia. Nous n'avons pas seulement été bonnes. Nous avons eu de la chance.

LE NOËL DE SOOKIE

C'était la veille de Noël. J'étais toute seule.

Cela paraît-il suffisamment triste et pathétique pour que vous vous exclamiez : « Pauvre Sookie Stackhouse ! » ? Inutile. Je m'apitoyais assez sur mon propre sort, et plus je pensais à ma solitude à cette époque de l'année, plus mes yeux se gonflaient de larmes et mon menton tremblait.

À cette saison, la plupart des gens passent les fêtes en famille, ou avec leurs amis. J'ai bien un frère, mais nous ne nous adressons plus la parole. J'avais récemment découvert que j'avais un arrière-grand-père encore en vie, mais à mon avis il ne devait même pas s'apercevoir que c'était Noël. (Non pas parce qu'il est sénile – loin de là – mais parce qu'il n'est pas chrétien.) Pour ce qui est de la proche famille, il n'y avait que ces deux-là.

J'ai bien des amis aussi, mais ils semblaient tous avoir leurs propres plans, cette année. Amelia Broadway, la sorcière qui vit au dernier étage de ma maison, était partie en voiture à La Nouvelle-Orléans passer les fêtes avec son père. Mon employeur et ami, Sam Merlotte, avait pris la route du Texas pour voir sa maman, son beau-père et ses frères et sœurs. Mes amis d'enfance Tara et JB allaient passer le réveillon de Noël avec la famille de JB ; en plus, c'était leur premier Noël de couple marié, qui allait oser s'en mêler ? D'autres encore… assez proches pour m'inclure sur-le-champ dans leur liste d'invités si j'avais pris un air de chien battu alors qu'ils me parlaient de leurs projets pour les fêtes. Mais dans un accès de perversité, j'avais refusé qu'on me prenne en pitié parce que j'étais seule. Je voulais gérer ça à ma façon.

Sam avait engagé un barman remplaçant, mais le *Merlotte* ferme à 2 heures de l'après-midi la veille de Noël pour ne rouvrir qu'à 2 heures le lendemain de Noël. Je n'avais même pas le travail pour rompre une charmante période de déprime qui semblait ne pas avoir de fin.

La lessive était faite. La maison était propre. La semaine précédente, j'avais installé les décorations de Noël de ma grand-mère, héritées en même temps que la maison. J'avais éprouvé un pincement de douleur en ouvrant les boîtes : ma grand-mère me manquait. Il y avait bientôt deux ans qu'elle était partie, et je regrettais toujours de ne plus pouvoir lui parler. Gran n'avait pas seulement été très amusante, elle était également très perspicace, et de bon conseil – si elle pensait que vous en aviez vraiment besoin. Elle m'avait élevée depuis l'âge de sept ans, et avait été la personne la plus importante de ma vie.

Elle avait été tellement ravie, lorsque j'avais commencé à sortir avec le vampire Bill Compton. Voilà qui montre à quel point Gran désespérait de me voir trouver un petit ami. Même Bill le Vampire avait été le bienvenu ! Quand on est télépathe, comme moi, il est difficile de sortir avec un type normal, je suis sûre que vous comprenez pourquoi. Les humains pensent à des tas de trucs, dont ils n'ont aucune envie que leurs proches et aimés soient au courant, et encore moins la femme qu'ils invitent à dîner et au cinéma. À l'opposé, l'esprit des vampires n'est pour moi qu'un charmant vide silencieux. Celui des loups-garous l'est presque autant, même si je récolte de grandes bouffées d'émotions et une pensée par-ci-par-là de mes connaissances à four-rure occasionnelles.

Après avoir songé à l'accueil que Gran avait réservé à Bill, je me suis bien évidemment demandé ce que pouvait faire celui-ci, avant que ma propre stupidité ne me fasse lever les yeux au ciel. Nous étions au milieu de l'après-midi : Bill dormait quelque part chez lui, une maison située dans les bois plus au sud, de l'autre côté du cimetière. J'avais rompu avec lui, mais j'étais bien certaine qu'il rap-pliquerait à la vitesse de l'éclair si je lui passais un coup de fil – pourvu que la nuit soit tombée, bien sûr.

Que je sois damnée si je l'appelais. Lui ou qui que ce soit d'autre.

Mais chaque fois que je passais devant le télé-phone, je me surprenais à fixer le combiné avec envie. Je devais sortir de la maison, sinon, j'allais finir par téléphoner à quelqu'un. N'importe qui.

Il me fallait une mission. Un projet. Une tâche. Une diversion.

Il m'est revenu qu'aux premières heures du matin je m'étais réveillée l'espace de trente secondes. J'avais travaillé dans l'équipe de nuit, au *Merlotte*, et je venais juste de sombrer dans un profond som-meil. J'avais émergé juste assez pour me demander ce qui avait pu déranger celui-ci. Le bruit m'avait semblé provenir des bois, mais il ne s'était pas reproduit, et j'avais plongé de nouveau à pic, comme une pierre au fond de l'eau.

J'ai scruté les bois à travers la fenêtre de la cuisine. La vue ne présentait rien d'inhabituel, ce qui n'avait rien de curieux. J'ai tenté de me souvenir du poème de Robert Frost que nous avions tous dû apprendre par cœur au lycée : « Les bois sont enneigés, sombres et profonds »... À moins que ce ne soit : « plaisants, sombres et profonds » ?

Évidemment, mes bois n'étaient ni plaisants, ni enneigés – ce n'est jamais le cas en Louisiane à Noël, même au nord de l'État. Mais il faisait froid (ce qui signifie ici une température de trois degrés). Et ils étaient incontestablement sombres et profonds – et humides. J'ai donc enfilé les boots de randonnée à lacets que j'avais achetées des années auparavant lorsque mon frère Jason et moi allions chasser ensemble, et passé mon plus gros manteau, du genre « je me fiche pas mal de ce qui peut lui arriver », plus exactement une sorte de gros gilet matelassé rose pâle. Par ici, on met un certain temps à user un vêtement d'hiver, celui-ci datait donc également de plusieurs années. Et à vingt-sept ans, j'ai définitivement passé le cap du rose pâle. J'ai fourré mes cheveux dans un bonnet de laine, et enfilé les gants trouvés dans une poche. Il y avait bien, bien longtemps que je n'avais porté ce gilet, et j'ai eu la surprise de dénicher dans les poches deux dollars, accompagnés d'un reçu pour un petit cadeau de Noël que j'avais fait à Alcide Herveaux, un loup-garou avec lequel j'étais sortie brièvement.

Les poches sont comme de petites capsules spatio-temporelles. Depuis le moment où j'avais offert à Alcide le recueil de sudoku, son père était mort en luttant pour le poste de chef de meute, et après une série d'événements violents, Alcide lui-même avait accédé au leadership. Je me suis demandé comment allaient les affaires de la meute à Shreveport. Je n'avais parlé à aucun des loups-garous depuis deux mois. D'ailleurs, j'avais oublié la date de la dernière pleine lune. Hier soir?

Voilà que je venais de penser à Bill *et* à Alcide. À moins de prendre des mesures radicales, j'allais me mettre à broyer du noir à propos de mon dernier petit ami, Quinn. Le temps était venu de me remuer.

Ma famille réside dans cette humble maison depuis plus de cent cinquante ans. Maintes fois transformée, elle se dresse dans une clairière au milieu des bois, sur Hummingbird Road, à la sortie de la petite ville de Bon Temps, dans le Comté de Renard. À l'arrière de la maison, vers l'est, les arbres sont plus denses et épais, car ils n'ont pas été taillés depuis une bonne cinquantaine d'années. Ils sont plus clairsemés vers le sud, là où s'étend le cimetière. Le paysage est doucement vallonné, et tout au bout de la propriété, il y a un petit ruisseau. Il y avait une éternité que je n'avais pas marché jusque-là. J'avais mené une existence bien remplie, à servir des verres au bar, télépather (le verbe existe-t-il?) pour les vampires, participer contre mon gré à des luttes de pouvoir entre les vampires et les loups-garous, bref, des tas de choses magiques et banales de ce genre.

En dépit de l'air humide et vif, c'était agréable de me retrouver dans les bois, et d'exercer mes muscles.

Pendant au moins une demi-heure, je me suis frayé un chemin à travers les taillis, à l'affût du moindre signe pouvant expliquer le remue-ménage de la nuit précédente. Il existe nombre d'animaux propres au nord de la Louisiane, mais la plupart sont craintifs et silencieux: opossums, ratons-laveurs, chevreuils. Ensuite viennent les mammifères un peu moins silencieux mais néanmoins craintifs, comme les coyotes et les renards. Nous avons cependant quelques créatures plus redoutables. Au bar, j'entends sans arrêt des histoires de chasseurs. À environ cinq kilomètres de chez moi, sur une réserve de chasse privée, deux des amateurs les plus enthousiastes avaient aperçu un ours brun. Et Terry Bellefleur m'avait juré avoir vu une panthère moins de deux ans auparavant. La plupart des chasseurs effrénés avaient repéré des cochons sauvages et des sangliers.

Bien sûr, je ne m'attendais pas à tomber sur quoi que ce soit de ce genre. J'avais glissé mon téléphone portable dans ma poche, au cas où, mais je n'étais pas sûre de capter le signal dans les bois.

Lorsque j'ai fini par atteindre le ruisseau à travers l'épaisseur des taillis, j'avais chaud, sous mon gilet rebondi. Je me suis accroupie quelques minutes pour examiner la terre meuble au bord de l'eau. Le niveau du ruisseau, qui n'avait jamais été très gros, atteignait les rives, à la suite de la dernière pluie. Bien que n'étant pas du genre nature, nature, je pouvais voir que des chevreuils étaient passés par là, ainsi que des ratons-laveurs, et peut-être un chien. Non, deux chiens. Non, trois ! *Ça, ce n'est pas bon*, ai-je pensé avec un soupçon d'inquiétude. Une meute de chiens pouvait toujours se montrer potentiellement dangereuse. Je manquais très largement des connaissances nécessaires pour déterminer à quand remontaient les traces, mais il me semblait qu'elles auraient été plus sèches si elles avaient été faites plus d'une journée auparavant.

À ma gauche, il y a eu un bruit dans les taillis. Je suis restée figée, redoutant de lever la tête et de me retourner dans cette direction. J'ai glissé mon portable hors de ma poche, pour vérifier les barres du signal. Le petit écran affichait : PAS DE

SIGNAL. *Merde !* me suis-je dit, et c'était un euphémisme.

Le bruit s'est reproduit. Il m'a semblé qu'il s'agissait d'un gémissement. Mais provenait-il d'un homme ou d'une bête, je l'ignorais. Je me suis mordu la lèvre de toutes mes forces, puis je me suis forcée à me redresser, très lentement et très prudemment. Rien. Plus de bruit. J'ai rassemblé mes forces, et me suis dirigée vers la gauche avec précaution. J'ai écarté un gros bouquet de lauriers.

Un homme gisait sur le sol, dans la boue froide et humide. Nu comme un ver, mais couvert de sang séché.

Je me suis approchée avec prudence, car même les hommes nus, ensanglantés et boueux peuvent se révéler sacrément dangereux ; peut-être même *tout particulièrement* dangereux.

— Euh...

Le discours de bienvenue laissait un peu à désirer.

— Euh... vous avez besoin d'aide ?

D'accord, ça aussi, c'était largement aussi crétin que : « Comment vous vous sentez ? »

Il a ouvert les yeux – des yeux fauves, farouches et ronds comme ceux d'une chouette.

— Allez-vous-en ! a-t-il jeté d'un ton pressant. Ils pourraient revenir.

— Alors, on ferait mieux de se presser. Vous êtes gravement atteint ?

Je n'avais aucune intention de laisser un homme blessé sur le chemin des créatures qui lui avaient infligé ces blessures.

— Non, *partez en courant* ! La nuit ne va pas tarder à tomber.

À grand-peine, il a tendu la main pour m'agripper la cheville. Il tenait vraiment à ce que je fasse attention à lui.

Mais il m'était difficile de me concentrer sur ses paroles, tant sa nudité captait mon regard. J'ai résolument rivé mes yeux au-dessus de sa poitrine. Large, couverte de poils bruns foncés pas trop épais. Pourtant, je ne regardais pas !

Je me suis agenouillée à ses côtés. Des empreintes de toute sorte se distinguaient dans la boue, indiquant une activité intense autour de lui.

— Allons ! Depuis combien de temps vous êtes là ?

— Quelques heures, a-t-il répondu, le souffle court, essayant de se dresser sur un coude.

— Dans ce froid ?

Mince. Pas étonnant qu'il ait la peau bleuie.

— Il faut vous mettre à l'abri. Tout de suite.

Je l'ai examiné, depuis le sang sur son épaule gauche jusqu'au reste du corps, pour tenter de repérer d'autres blessures.

Erreur fatale. Le reste – bien que boueux, sanglant et froid – était vraiment, vraiment…

Non, mais qu'est-ce qui m'arrivait ? Voilà que je reluquais un complet inconnu (et complètement nu et beau) alors qu'il était blessé et effrayé.

Je me suis efforcée d'adopter un ton résolu et neutre :

— Tenez. Passez votre bras valide autour de mon cou, et nous allons vous agenouiller. Ensuite, vous pourrez vous relever, et nous nous mettrons en route.

Il était couvert d'hématomes, mais ne portait aucune autre blessure ouverte, m'a-t-il semblé. Il a protesté à plusieurs reprises, mais le ciel commençait de s'obscurcir à l'arrivée de la nuit, et je lui ai sèchement coupé la parole :

— Il faut y aller ! On ne tient pas à rester ici plus longtemps que nécessaire. Il va nous falloir presque une heure pour vous ramener à la maison.

Silencieux, l'homme a fini par acquiescer d'un hochement de tête. Avec beaucoup d'efforts, nous avons réussi à le mettre sur ses pieds. J'ai esquissé une grimace quand j'ai vu à quel point ceux-ci étaient sales et égratignés.

— On y va, l'ai-je encouragé.

Il a fait un pas, grimacé un peu lui aussi. Pour essayer de le distraire du mal qu'il éprouvait à marcher, je lui ai demandé :

— Comment vous appelez-vous ?

— Preston. Preston Pardloe.

— Et d'où venez-vous, Preston ?

Nous avancions un peu plus rapidement, ce qui n'était pas plus mal, car l'obscurité tombait sur les bois.

— De Baton Rouge, a-t-il répondu, l'air un peu surpris.

— Et comment avez-vous atterri dans mes bois ?

— Eh bien...

J'ai compris quel était son problème.

— Vous êtes un loup-garou, Preston ? lui ai-je demandé.

J'ai senti son corps se détendre contre le mien. À cause de la configuration de son esprit, je m'en étais déjà aperçue, mais je ne voulais pas l'effrayer en lui parlant de mon léger handicap. L'esprit de Preston était – comment pourrais-je le décrire ? – plus riche et doux que celui d'autres loups-garous déjà rencontrés, mais chaque cerveau a sa propre texture.

— Oui. Vous savez, alors ?

— Oui.

J'en savais bien plus que je ne l'aurais voulu. Avec l'arrivée du sang synthétique mis au point par les Japonais, les vampires avaient fait leur *coming out*, mais les autres créatures des ténèbres et de la nuit n'avaient pas encore été en mesure de franchir ce pas de géant.

— De quelle meute ? ai-je demandé tandis que nous trébuchions sur une branche tombée.

Nous nous sommes rétablis. Il s'appuyait lourdement sur moi, et je redoutais que nous ne nous affalions carrément par terre. Il nous fallait accélérer le rythme. Maintenant que ses muscles s'étaient un peu échauffés, il paraissait se mouvoir plus facilement.

— Celle des Tueurs de Cerfs, au sud de Baton Rouge.

— Et qu'est-ce que vous faites ici dans mes bois ? ai-je répété.

— Ces terres sont à vous ? Je suis désolé de notre intrusion.

Il a repris son souffle, puis je l'ai aidé à contourner un aralia épineux. Mon gilet rose s'est accroché à une des épines, et je me suis dégagée avec difficulté.

— C'est le cadet de mes soucis ! Qui vous a attaqué ?

— La meute des Griffes Acérées de Monroe.

Je ne connaissais aucun loup-garou de Monroe.

— Que faisiez-vous là ?

Je me disais qu'en continuant à l'interroger, il finirait bien tôt ou tard par me répondre.

— Nous étions censés nous rencontrer en terrain neutre, a-t-il expliqué, les traits contractés par la douleur. Un panthère-garou de quelque part dans le coin a proposé l'endroit comme point de rencontre, comme zone impartiale. Nos meutes se… se querellent depuis un moment. Il a dit que l'endroit se prêterait à la résolution de nos différends.

Mon frère avait offert mes bois comme champ de pourparlers à des loups-garous ? Nous avons continué à progresser en silence, l'inconnu et moi, pendant que je réfléchissais à ça. Mon frère Jason était effectivement un panthère-garou, même s'il l'était devenu par morsure. Sa femme, dont il était séparé, était une panthère génétique, elle, de naissance. Qu'est-ce qui lui était passé par la tête d'organiser une réunion aussi dangereuse par chez moi? Ce n'était certainement pas à mon bien qu'il pensait.

Nous n'étions pas en très bons termes, je le reconnais, mais il m'était douloureux de croire qu'il ait réellement cherché à me faire du mal. Encore davantage qu'il ne l'avait déjà fait, je veux dire.

Un sifflement de douleur a ramené mon attention sur mon compagnon. Pour lui apporter une aide plus efficace, j'ai passé mon bras autour de sa taille, et il m'a entouré les épaules du sien. À mon grand soulagement, cela nous a permis de gagner du temps, et cinq minutes plus tard j'ai aperçu la lumière extérieure de ma porte de derrière, que j'avais laissée allumée.

— Dieu merci! ai-je soufflé.

Nous avons accéléré le pas, et atteint la maison à l'instant où la nuit tombait. L'espace d'un instant, mon compagnon s'est cambré et tendu, mais ne s'est pas transformé, ce qui était un soulagement.

Grimper les marches a été une épreuve, mais j'ai réussi à faire entrer Preston, et à l'installer à la table de la cuisine. Je l'ai détaillé avec inquiétude. Curieusement, ce n'était pas la première fois que j'introduisais dans ma cuisine un homme nu et ensanglanté. J'avais découvert un vampire du nom d'Eric dans des circonstances similaires. N'était-ce pas incroyablement singulier, même pour quelqu'un qui menait une vie comme la mienne? Évidemment, je n'avais pas vraiment le temps de m'attarder sur la question, car l'homme nécessitait des soins.

J'ai essayé d'examiner sa blessure à l'épaule à la lumière de la cuisine, meilleure qu'à l'extérieur, mais il était si crasseux que c'était difficile.

— Vous croyez que vous pourriez tenir dans la douche? lui ai-je demandé, priant pour qu'il ne croie pas que je trouvais qu'il puait.

En fait, il dégageait une odeur un peu inhabituelle, mais pas déplaisante.

— Je crois que je peux rester debout le temps nécessaire, a-t-il répondu brièvement.

— D'accord, ne bougez pas.

Je suis allée chercher le vieux châle du dossier du canapé du salon, dont je l'ai soigneusement drapé. Se concentrer devenait plus facile.

Je me suis rendue rapidement dans la salle de bains du bas, pour ajuster la douche, ajoutée bien après l'installation de la baignoire à pattes de lion. Je me suis penchée pour faire couler l'eau, et j'ai sorti deux serviettes propres en attendant qu'elle soit chaude. Amelia avait laissé du shampoing et du conditionneur dans le portant suspendu à la pomme de douche, et il y avait plein de savon. J'ai passé la main sous l'eau. Parfait. Bien chaud.

— Bon, je viens vous chercher!

Mon visiteur inattendu a eu l'air surpris quand je suis revenue dans la cuisine.

— Pour quoi faire?

Je me suis demandé s'il n'avait pas reçu un coup sur la tête, dans ces bois.

— Pour la douche. Vous entendez l'eau? ai-je fait d'un ton très prosaïque. Je ne pourrai constater l'étendue de vos blessures que lorsque vous serez propre.

Nous voilà repartis, et j'ai trouvé qu'il se déplaçait plus facilement, comme si la chaleur de la maison et la douceur du sol aidaient ses muscles à se relâcher.

Il avait abandonné le châle sur la chaise. Comme la plupart des loups-garous, la nudité ne l'embarrassait pas du tout, ai-je remarqué. OK, pas de problème, n'est-ce pas ? Ses pensées me demeuraient opaques, comme l'était quelquefois l'esprit des loups-garous, mais j'ai perçu des bouffées d'inquiétude.

Brusquement, il s'est appuyé beaucoup plus lourdement contre moi, et j'ai chancelé contre le mur.

— Désolé, a-t-il fait avec un hoquet. Je viens d'avoir un élancement dans la jambe.

— Pas de problème. Probablement vos muscles qui se détendent.

Nous avons atteint la petite salle de bains très démodée. Ma propre salle de bains, attenante à ma chambre, était plus moderne, et celle-ci, plus impersonnelle.

Mais Preston n'a pas eu l'air de remarquer le carrelage à damiers noir et blanc. Il contemplait l'eau chaude jaillissant dans la baignoire avec une impatience non dissimulée.

— Euh, vous avez besoin que je vous laisse une seconde avant de vous aider à grimper dans la douche ? ai-je demandé en désignant les toilettes d'un signe de tête.

Il m'a fixée d'un air vide, puis, comprenant :

— Oh ! Non, ça va.

Nous nous sommes rapprochés de la baignoire, très haute. Après quelques manœuvres maladroites, Preston a balancé une jambe par-dessus, je l'ai poussé, et il a réussi à soulever suffisamment la seconde pour grimper dedans. Après m'être assurée qu'il tenait debout tout seul, j'ai voulu refermer le rideau de douche.

— Madame ?

Je me suis interrompue. Il était sous le jet d'eau chaude, les cheveux collés sur la tête, l'eau dégoulinant sur sa poitrine puis le long de son... OK, il s'était réchauffé de partout.

— Oui ? ai-je fait en tentant de ne pas avoir l'air de m'étrangler.

— Comment vous vous appelez ?

— Oh, pardon ! (J'ai dégluti.) Mon nom est Sookie. Sookie Stackhouse. (Nouvelle déglutition.) Voilà le savon, et voilà le shampoing. Je vais laisser la porte de la salle de bains ouverte, d'accord ? Appelez-moi quand vous aurez fini, et je viendrai vous aider à sortir de la baignoire.

— Merci. Je crierai si j'ai besoin de vous.

J'ai tiré le rideau de douche, non sans regret. J'ai vérifié que les serviettes se trouvaient à portée de main de Preston, puis je suis retournée dans la cuisine. Il aimerait peut-être du café, du chocolat chaud, ou du thé ? Ou bien de l'alcool ? J'avais un peu de bourbon, et il y avait deux ou trois bières dans le réfrigérateur. Je lui poserais la question. De la soupe, il allait avoir besoin de soupe. Je n'avais pas de soupe maison, mais de la Campbell's Chicken Tortilla. Je l'ai mise à chauffer sur la cuisinière, j'ai préparé du café, et fait bouillir de l'eau au cas où il opterait pour le chocolat ou le thé. Je frémissais littéralement de résolutions.

Lorsque Preston a émergé de la salle de bains, sa moitié inférieure était enveloppée dans la grande serviette de bain bleue d'Amelia, qui, croyez-moi, n'avait jamais eu meilleure allure. Il avait drapé une autre serviette autour de son cou pour égoutter ses cheveux, qui couvrait la blessure de son épaule. Il grimaçait un peu en marchant, et je savais que ses pieds devaient être endoloris. J'avais par erreur acheté des chaussettes d'homme au Walmart, la dernière fois. Je suis allée les chercher dans mon tiroir avant de les tendre à Preston, qui a repris sa

144

place à la table de la cuisine. Il les a soigneusement examinées, les chaussettes, à ma grande perplexité.

— Vous devez mettre des chaussettes, lui ai-je dit, en me demandant si c'était l'idée qu'il portait les vêtements d'un autre homme qui l'arrêtait. Elles sont à moi, l'ai-je rassuré. Vous devez avoir les pieds fragiles.

— Oui.

Il s'est penché pour les enfiler lentement.

— Vous avez besoin d'aide ? ai-je demandé en versant de la soupe dans un bol.

— Non, merci, a-t-il répondu, le visage masqué par son épaisse chevelure, penché sur sa tâche. Qu'est-ce qui sent aussi bon ?

— Je vous ai réchauffé de la soupe. Vous voulez du café, du thé ou…

— Du thé, s'il vous plaît.

Je ne buvais jamais de thé, mais Amelia en avait un peu. J'ai jeté un œil dans sa sélection, en espérant qu'aucun de ses mélanges n'allait le transformer en grenouille, ou quoi que ce soit de ce genre. La magie d'Amelia avait eu par le passé des conséquences inattendues. Un truc marqué LIPTON ne devait sûrement pas poser de problème, non ? J'ai trempé le sachet dans l'eau bouillante, en espérant que tout se passe pour le mieux.

Preston a mangé sa soupe avec beaucoup de précautions. Elle était peut-être trop chaude. Il enfournait les cuillerées comme s'il n'en avait jamais goûté de sa vie. À moins que sa mère ne lui ait jamais préparé que de la soupe maison. Je me sentais un peu gênée. Je le regardais fixement, n'ayant vraiment rien de mieux à contempler. Il a levé les yeux, et croisé mon regard.

Waouh ! Les choses allaient un peu trop vite en besogne.

— Alors, dans quelles circonstances avez-vous été blessé ? Il y a eu une échauffourée ? Pourquoi votre meute vous a-t-elle abandonné ?

— Un combat. Les négociations n'ont pas abouti, a-t-il expliqué d'un air un peu incertain et peiné. D'une manière ou d'une autre, ils m'ont laissé, dans l'obscurité.

— Vous pensez qu'ils vont revenir vous chercher ?

Il a terminé sa soupe, et j'ai posé son thé à côté de lui.

— Soit ma meute, soit celle de Monroe, a-t-il répondu d'un air lugubre.

Voilà qui ne présageait rien de bon.

— Bon, vous devriez me laisser regarder vos blessures, maintenant, ai-je déclaré.

Plus tôt je pouvais déterminer son état physique, plus tôt je pouvais décider de la conduite à tenir. Preston a retiré la serviette de ses épaules, et je me suis penchée pour regarder : sa blessure était quasiment cicatrisée.

— Quand avez-vous été blessé ?

— Vers l'aube, a-t-il répondu, ses immenses yeux fauves dans les miens. Je suis resté là pendant des heures.

— Mais...

Brusquement, je me suis demandé si j'avais vraiment fait preuve d'intelligence, en ramenant chez moi un inconnu. Je savais qu'il n'était pas très judicieux de laisser voir à Preston que j'entretenais des doutes sur son récit. Lorsque je l'avais trouvé dans les bois, sa blessure, aux bords déchiquetés, n'était pas belle à voir. Et pourtant, depuis qu'il se trouvait dans la maison, elle avait cicatrisé en l'espace de quelques minutes ? Qu'est-ce que c'était que cette histoire ? Les loups-garous guérissent vite, mais pas instantanément.

— Qu'y a-t-il, Sookie?

Difficile de penser à quoi que ce soit d'autre, avec ses longs cheveux humides balayant son torse, et la serviette bleue accrochée bien bas...

J'ai fait deux pas en arrière, et lâché:

— Vous êtes vraiment un loup-garou?

Ses ondes cérébrales ont adopté le rythme typique de ceux-ci, la cadence sombre et irrégulière qui m'était familière.

Preston Pardloe a affiché un air absolument horrifié.

— Qu'est-ce que je pourrais être d'autre? a-t-il déclaré en étendant le bras.

Une vague de poils a obligeamment ondulé depuis son épaule, et ses doigts se sont transformés en griffes. Je n'avais jamais vu de transformation aussi dépourvue d'efforts, et presque silencieuse, contrairement au bruit que j'associais à celles auxquelles j'avais assisté plusieurs fois.

— Vous devez être une espèce de super loup-garou.

— Ma famille est très douée, a-t-il reconnu avec orgueil.

Il s'est dressé, et sa serviette a glissé.

— Sans blague, ai-je commenté d'une voix étranglée.

J'ai senti mes joues devenir écarlates.

Un hurlement s'est élevé dehors. Il n'existe pas de bruit plus angoissant, surtout par une nuit froide et sombre; et quand ce bruit vient de la frontière entre votre jardin et les bois, eh bien, cela vous donne la chair de poule. J'ai jeté un œil à Preston, pour voir si le hurlement avait produit sur lui le même effet, et j'ai constaté que son bras avait repris son apparence humaine.

— Ils sont revenus me chercher.

— Votre meute ? ai-je demandé en espérant que sa parentèle était venue le récupérer.

— Non, a-t-il fait, l'air sombre. Les Griffes Acérées.

— Appelez les vôtres, qu'ils viennent.

— Ils avaient une raison pour m'abandonner, a-t-il reconnu, l'air humilié. Je ne voulais pas en parler, mais vous avez été si gentille.

J'appréciais de moins en moins la situation.

— Et quelle était cette raison ?

— Je représentais la réparation d'une offense.

— Expliquez-moi ça en moins de vingt-cinq mots.

Il a fixé le sol, et j'ai compris qu'il calculait intérieurement. Ce type était impayable.

— La sœur du chef de meute me désirait, moi pas, elle a dit que je l'avais insultée, ma torture était le prix.

— Et pourquoi votre chef de meute aurait-il accepté une chose pareille ?

— Je dois encore compter mes mots ?

J'ai secoué la tête. Plus sérieux que ça, tu meurs. Ou alors, il avait un sens de l'humour très particulier.

— Mon chef de meute est loin de me porter dans son cœur, et il était tout disposé à croire à ma culpabilité. Lui-même désire la sœur du chef de la meute des Griffes Acérées, et du point de vue des deux meutes, ce serait une union parfaite. J'ai donc été puni.

Que la sœur du chef de meute se soit consumée de désir pour lui, voilà qui ne m'étonnait guère. Et si on connaissait bien les loups-garous, le reste de l'histoire était parfaitement plausible. Bien sûr, en apparence, ils ont l'air tout à fait humains et raisonnables, mais quand ils passent en mode loup-garou, ils sont différents.

— Donc, ils sont là pour vous ramener et continuer à vous taper dessus ?

Il a acquiescé d'un air sombre. Je n'avais plus le cœur à lui dire de remettre cette fichue serviette. J'ai pris une profonde inspiration, détourné le regard, et décrété que le moment était venu d'aller chercher le fusil de chasse.

Le temps que je récupère le fusil Benelli dans le placard du salon, les hurlements déchiraient la nuit, l'un après l'autre. Les Griffes Acérées avaient de toute évidence pisté Preston jusque chez moi. Impossible de le cacher, et de leur dire qu'il était parti. À moins que... S'ils ne rentraient pas...

— Il faut vous cacher dans le réduit à vampires.

Preston, qui fixait la porte de derrière, s'est retourné, les yeux écarquillés à la vue du fusil.

— Dans la chambre d'amis.

Le réduit à vampires datait de l'époque à laquelle Bill Compton avait été mon petit ami. Nous avions pensé qu'il était plus prudent de disposer chez moi d'un endroit complètement hermétique à la lumière, si jamais il se faisait coincer par le lever du jour.

Comme il ne bougeait pas, je l'ai attrapé par le bras, poussé dans le couloir, puis je lui ai montré le double fond du placard de la chambre. Il a commencé par protester – tous les loups-garous préfèrent le combat à la fuite – mais je l'ai poussé dedans, j'ai abaissé le « plancher », et balancé des chaussures et du bric-à-brac pour rendre le placard crédible.

Quelqu'un a cogné violemment à la porte. J'ai vérifié que le fusil était chargé et armé, puis je suis allée dans le salon. Mon cœur battait à cent à l'heure.

Dans leurs existences humaines, les loups-garous ont tendance à exercer des professions ouvrières, même si certains d'entre eux parviennent à les

faire fructifier jusqu'à bâtir des empires indus-
triels. J'ai jeté un œil par le judas : le loup-garou
devant ma porte devait être un lutteur semi-pro,
lui. Il était gigantesque. Sa chevelure tombait jusqu'à ses épaules en vagues soigneusement passées
au gel, et il portait une moustache et une barbe
bien taillées. Sa tenue se composait d'un gilet de
cuir, d'un pantalon de cuir, et de bottes de moto.
Il portait nouées autour des biceps des bandes
de cuir, et des bracelets de force en cuir aux poignets. Il avait l'air de sortir d'un magazine de
fétichisme.

— Qu'est-ce que vous voulez ? ai-je crié à travers
la porte.

— Laissez-moi entrer, a-t-il répondu d'une voix
curieusement haut perchée.

Petit cochon, laisse-moi vite entrer !

— Et pourquoi ?

Jamais de la vie ! Par ma queue en tire-bouchon !

— Parce qu'on peut forcer la porte, s'il le faut.
Nous n'avons pas de querelle avec vous. Nous savons
que nous sommes sur vos terres, et votre frère nous
a dit que vous étiez tout à fait au courant, pour nous.
Mais nous pistons un type, et nous devons savoir s'il
est là.

— Il y a un type qui est venu, à la porte de derrière. Mais il a passé un coup de téléphone, et quelqu'un est venu le chercher.

— Pas ici, a remarqué le loup-garou géant.

— Non, par-derrière.

C'est là que devait mener l'odeur de Preston.

— Hmmmm.

En pressant mon oreille contre le battant, j'ai
entendu le loup-garou murmurer à une grande silhouette sombre, qui s'est ensuite éloignée à grandes
foulées : « Va voir. »

— Je dois quand même entrer pour vérifier, a insisté mon visiteur non désiré. S'il est là, vous êtes peut-être en danger.

Il aurait sans doute dû commencer par là, s'il avait voulu me convaincre qu'il essayait de me protéger.

— D'accord, mais vous seulement ! Vous savez que je suis une amie de la meute de Shreveport, et s'il m'arrive quoi que ce soit, c'est à eux que vous devrez en répondre. Appelez Alcide Herveaux, si vous ne me croyez pas.

— Ooohh, j'en tremble de peur, a répliqué l'Homme des Montagnes en prenant une voix de fausset.

Mais quand j'ai ouvert la porte et qu'il a découvert le fusil, j'ai vu qu'il avait vraiment l'air d'hésiter. Bien.

Je me suis écartée, le Benelli pointé dans sa direction, pour lui montrer que je ne plaisantais pas. Il a parcouru la maison à grandes enjambées, le nez frémissant en permanence. Son flair n'était pas aussi performant, sous sa forme humaine, et si jamais il entamait sa transformation, je m'apprêtais à le prévenir que je tirais.

L'Homme des Montagnes est monté à l'étage. Je l'ai entendu ouvrir des placards, regarder sous les lits. Il est même entré dans le grenier, dont j'ai perçu le grincement de la vieille porte.

Puis il est redescendu du pas massif de ses grosses vieilles bottes. Je voyais bien que sa fouille l'avait mécontenté, parce que c'est tout juste s'il ne grognait pas. J'ai gardé le fusil pointé à bout de bras.

D'un seul coup, il a rejeté la tête en arrière, et rugi. J'ai tressailli, et néanmoins tenu bon. J'étais exténuée.

Il me foudroyait du regard, de toute sa hauteur.

— Vous manigancez quelque chose, vous. Si je découvre quoi, je reviendrai.

— Vous avez vérifié, et il n'est pas là. Maintenant, vous partez. Bon Dieu, c'est la veille de Noël! Rentrez chez vous, et allez faire vos cadeaux!

Après un dernier regard circulaire dans le salon, il est ressorti. Je n'en croyais pas mes yeux. Le bluff avait fonctionné. J'ai baissé le fusil, puis je l'ai soigneusement rangé dans le placard. J'en avais les bras qui tremblaient de l'avoir tenu pointé. J'ai fermé et verrouillé la porte derrière lui.

Les traits inquiets, uniquement vêtu de ses chaussettes, Preston est apparu dans le couloir.

— Attendez! lui ai-je crié avant qu'il ait pu mettre un pied dans le salon, dont les rideaux étaient ouverts.

Pour être tout à fait tranquille, je suis allée fermer tous les rideaux de la maison. Ensuite, j'ai pris le temps d'effectuer ma recherche spéciale, sans découvrir d'activité cérébrale quelconque autour de la maison. Je n'avais jamais exactement déterminé la portée de mon talent, mais au moins, je savais que les Griffes Acérées étaient parties.

Lorsque je me suis retournée après avoir tiré le dernier rideau, Preston était derrière moi. Il m'a prise dans ses bras, puis embrassée. J'ai émergé, le temps de balbutier: «Vraiment, je ne...»

— Fais comme si tu m'avais trouvé emballé sous le sapin, a-t-il murmuré. Fais comme si tu avais suspendu du gui.

Ma foi, il n'a pas été trop difficile de faire semblant. À plusieurs reprises. Pendant des heures.

Quand je me suis éveillée le matin de Noël, j'étais aussi détendue que possible. J'ai mis un moment à comprendre que Preston était parti; après un petit pincement au cœur, un léger soulagement m'a envahie. Après tout, je ne le connaissais pas, et même après notre intimité, je me demandais comment se serait déroulée une journée seule avec lui. Il m'avait laissé un mot dans la cuisine.

« Sookie, tu es incroyable. Tu m'as sauvé la vie, et offert le meilleur Noël que j'aie jamais eu de ma vie. Je ne veux pas t'attirer davantage d'ennuis. Je n'oublierai jamais à quel point tu as été formidable, dans tous les domaines. » Il avait signé.

Je me suis sentie abandonnée, et en même temps, curieusement, heureuse. C'était Noël. Je suis allée brancher la guirlande lumineuse du sapin, puis me suis installée sur le vieux canapé, enveloppée dans le châle de ma grand-mère, qui dégageait très légèrement l'odeur de mon visiteur. Je me suis pris une grande tasse de café, et du pain à la banane et aux noix de pécan pour le petit-déjeuner. J'avais des cadeaux à déballer. Et puis, vers midi, le téléphone a commencé à sonner. Sam, d'abord, puis Amelia. Même Jason a appelé, juste pour dire: « Joyeux Noël, petite sœur! » Il a raccroché avant que j'aie pu l'accuser d'avoir prêté mes terres à deux meutes de loups-garous. Étant donné l'issue satisfaisante de l'histoire, j'ai décidé de pardonner et d'oublier – au moins pour cette transgression-là. J'ai mis au four mon blanc de dinde, préparé une cocotte de patates douces, ouvert une boîte de sauce à la canneberge, fait des brocolis, du fromage et de la farce au pain de maïs.

Une demi-heure environ avant que ce repas de fête simplifié ne soit prêt, la sonnette a retenti. Je portais un pantalon bleu clair neuf et un haut en velours, cadeau d'Amelia. Je me sentais parfaitement confiante.

J'ai été stupéfaite de constater à quel point j'étais heureuse de découvrir mon arrière-grand-père sur

153

le pas de la porte. Il s'appelle Niall Brigant, et il est prince du Peuple des Faé. D'accord, c'est une longue histoire, mais c'est ça. Je l'avais rencontré pour la première fois quelques semaines auparavant, et je ne pouvais pas vraiment dire que nous nous connaissions très bien, mais il faisait partie de la famille. Il mesure un peu plus d'un mètre quatre-vingts, porte presque toujours un costume noir avec une chemise blanche et une cravate noire, et sa chevelure blond pâle aussi fine que des fibres de maïs, plus longue que la mienne, semble flotter autour de sa tête au moindre courant d'air.

Ah oui, et mon arrière-grand-père est âgé d'un peu plus d'une centaine d'années. Enfin, dans ces eaux-là. Je suppose que c'est difficile à suivre, après tout ce temps.

Niall m'a souri. Toutes les rides minuscules qui sillonnaient sa peau très fine s'animaient lorsqu'il souriait, ce qui ne faisait qu'ajouter à son charme. Et pour ajouter à ma stupéfaction générale, il avait les bras chargés de cadeaux.

— Entre, Arrière-grand-père ! Je suis tellement contente de te voir ! Tu peux déjeuner avec moi pour Noël ?

— Oui. C'est pour cela que je suis venu. Encore que je n'aie pas été invité, a-t-il ajouté.

Je me suis sentie affreusement impolie.

— Oh ! Je n'ai pas pensé que tu aurais envie de venir. Je veux dire, après tout, tu n'es pas…

J'ai hésité, je ne voulais pas manquer de délicatesse.

— Je ne suis pas chrétien, a-t-il dit gentiment. Non, ma chérie, mais toi, tu aimes Noël, et je me suis dit que j'allais le célébrer avec toi.

— D'accord.

En fait, je lui avais préparé un cadeau, que je comptais lui offrir à notre prochaine rencontre (je ne voyais pas Niall de façon régulière), aussi ai-je pu me vautrer dans le bonheur complet. Il m'a donné un collier en opale, je lui avais acheté de nouvelles cravates (il devrait se débarrasser de la noire) et une banderole des Shreveport Mudbugs, l'équipe de hockey (très couleur locale).

Le repas une fois prêt, nous avons mangé, et il a trouvé tout très bon.

C'était un Noël fabuleux.

*

La créature que Sookie Stackhouse avait connue sous le nom de Preston se tenait dans les bois. Il distinguait les silhouettes de Sookie et de son arrière-grand-père, se déplaçant dans le salon.

— Elle est vraiment ravissante, et douce comme le miel, dit-il à son compagnon, l'énorme loup-garou qui avait fouillé la maison de Sookie. Je n'ai eu à utiliser qu'un soupçon de magie, pour déclencher l'attirance.

— Et comment Niall t'a-t-il amené à faire ça? demanda le loup-garou.

Lui était un véritable loup-garou, contrairement à Preston, qui était un faé doté du don de se transformer.

— Oh, il m'a tiré du pétrin, un jour, expliqua Preston. Disons que l'affaire impliquait un elfe et un sorcier, cela suffira. Niall m'a dit qu'il voulait que cette humaine passe un très bon Noël, qu'elle n'avait pas de famille, et qu'elle était très méritante. (Il contempla avec mélancolie Sookie qui passait devant la fenêtre.) Niall a conçu toute l'histoire en accord avec ses besoins. Elle ne parle plus à son frère, c'est donc lui qui a « prêté » ses bois. Elle adore aider les gens, j'ai donc été « blessé »; elle adore aussi protéger les gens, j'ai donc été

« pourchassé ». Elle n'avait pas fait l'amour depuis longtemps, je l'ai donc séduite. Et j'aimerais recommencer, soupira Preston. Si l'on aime les humains, c'était merveilleux. Mais Niall a dit, « Plus de contact », et ses désirs sont des ordres.

— Pourquoi crois-tu qu'il ait fait tout cela pour elle ?

— Aucune idée. Et Curt et toi, comment vous a-t-il embringués là-dedans ?

— Oh, nous travaillons comme coursiers dans une de ses entreprises. Il savait que nous faisions un peu de théâtre, dans une petite troupe, fit le loup-garou avec une modestie peu convaincante. J'ai hérité du rôle de la grosse brute menaçante, et Curt était l'autre brute.

— Du sacré bon boulot ! assura Preston le faé d'un ton vif. Bon, eh bien, je repars dans mes contrées. À bientôt, Ralph.

— À bientôt !

Et Preston s'évanouit dans les airs.

— Comment diable font-ils ça ? dit Ralph en s'éloignant d'un pas lourd à travers les bois, en direction de sa moto et de son copain Curt.

Il avait les poches pleines d'argent, et une histoire qu'il était chargé de tenir secrète.

À l'intérieur de la vieille maison, Niall Brigant, prince du Peuple des Faé et arrière-grand-père aimant, dressa les oreilles au léger bruit du départ de Preston et Ralph. Il était le seul à pouvoir l'entendre, et sourit à son arrière-petite-fille. Noël n'avait aucune signification pour lui, mais il avait compris qu'à ce moment-là, les humains échangeaient des cadeaux, et qu'ils se rassemblaient en famille. Il sut, devant le visage radieux de Sookie, qu'il lui avait offert un souvenir de Noël unique.

— Joyeux Noël, Sookie, dit-il en lui déposant un baiser sur la joue.

LES MYSTÈRES
DE HARPER CONNELLY

LA NOUVELLE SÉRIE DE CHARLAINE HARRIS
(à paraître en 2011)

À l'âge de 15 ans, Harper Connelly a été frappée par la foudre. Elle en a gardé d'étranges séquelles : une cicatrice en forme de toile d'araignée sur la jambe droite, de douloureuses migraines et surtout une sensibilité très particulière. Elle «flaire» les cadavres dès qu'elle s'en approche : elle perçoit une sorte de bourdonnement, puis une violente décharge électrique par laquelle lui sont révélées l'identité et les dernières émotions des morts. Elle peut donc savoir ce qui les a tués, mais pas *qui* les a tués s'ils ont été assassinés.

La jeune femme gagne sa vie en offrant son aide pour retrouver les corps de personnes disparues. Son demi-frère, Tolliver, l'accompagne dans tous ses contrats, à titre de manager et, au besoin, de garde du corps. Elle sillonne ainsi les États-Unis avec pour tout bagage une enfance malmenée et une faculté qui lui attire les pires ennuis. Harper ne peut compter que sur elle-même et sur ce frère si proche d'elle.

Tome 1 : *Murmures d'outre-tombe*
Tome 2 : *Pièges d'outre-tombe* (à paraître)
Tome 3 : *Frissons d'outre-tombe* (à paraître)
Tome 4 : *Secrets d'outre-tombe* (à paraître)

SÉRIE SOOKIE STACKHOUSE
LA COMMUNAUTÉ DU SUD

CE QUE LA PRESSE EN A DIT

« Depuis Anne Rice et ses fameuses chroniques, je ne jure que par Charlaine Harris et sa série *La communauté du Sud (Sookie Stackhouse)*. Non seulement cette romancière a-t-elle réussi à injecter une dose de sang neuf aux vampires qui hantent ses pages, mais Sookie, sa jolie serveuse télépathe, est littéralement à croquer. »

Karine Vilder, *Vita*

« Ils sont suaves, racés, irrésistiblement sexy et, tout comme les diamants, ils sont éternels. Comment résister au charme fou des vampires ? »

Marie-Andrée Lemay, *Clin d'œil*

« À lire, si vous aimez les émotions fortes et les histoires d'amour. »
Isabelle Prévost-Lamoureux,
Le Libraire

« Les aventures de Sookie Stackhouse faisaient déjà les délices de fidèles lectrices depuis 2001 avant d'être portées au petit écran sous le titre de *True Blood*. »

Chantal Tellier, *Elle Québec*

« La série est un phénomène aux États-Unis. En effet, *True Blood* est la deuxième série la plus écoutée de toute l'histoire de *HBO*. La série de vampires bénéficie du même engouement chez nous à Super Écran. [...] Une série crue, sale, mais très sexy. »

Richard Therrien, *La Presse*

« Attention, le risque d'addiction est devenu très très fort. »
Pierre Sérisier, *Le Monde*